The Success
of Failure

喂係咪鬥失敗先?好吖。

羅若OFF話佢會考只得 11 分,我當年呢⋯⋯13分。表面上的確係高佢兩分咁大把,但升預科最低消費係 14 分,所以其實攞 11 分或 13 分有乜分別?都是失敗,如果升到預科先算成功的話。

我中學時期已經好愛電影,雖然冇立志,但都幾希望日後成為電影作者(唔止係工作者,係作者),無論是導演或編劇,總之要勁到有得揀去奧斯卡定康城定威尼斯嗰種。終於呢?我床下底有一大疊劇本棄稿、有一大棟尚待發展嘅故事大綱;書架上有十幾本教人寫劇本的工具書,仲有一百部已經拍好嘅電影,不過全部喺我個腦入面。終於半生過去,我只係畫咗幾本漫畫,寫咗百幾份歌詞⋯⋯全部都唔係本人第一志願。正所謂你睇我好,我自己先會知當中有

幾失敗，如果要成為電影大師先算成功的話。

五年前，漫畫專欄完結，亦冇乜人搵我填詞，心諗：太好了！終於可以重回正軌，開始我的電影生涯了。我閉咗關足足兩年，最後一粒字都寫唔出。已經慣咗歌詞及短篇漫畫的篇幅套路，一跳出呢個舒適區，即刻變成白癡仔，挫敗感超標，不得不承認慘敗，如果處理到長篇先算成功的話。

我太太目擊了整個過程，有天說：「你真的很厲害！」我話：「吓？」她說：「你肯花兩年時間不顧一切地去證實自己在某方面的無能和失敗，這真的不是每個人都有這份面對自己的勇氣！」

這段說話，我想了很久，才恍然大悟，原來我成功了！

人在成長期間最愚蠢的想法，就是為成功定下唯一指標：「如果乜乜乜先算成功」。所以，「覺得自己失敗」這種感覺，真正功能其實只有兩個：一、令你勇敢及坦白地去面對自己了解自己；二、儲埋呢堆感覺，去撰寫類似羅若OFF這本《人生慘敗組》的小書，去告訴其他人，「失敗」，只不過是種感覺而已。感覺一變，想法就會跟住變。

2021 年 6 月

推薦序 ——Nicky（王雍泰）

「Er……Err……」

早幾日阿OFF搵我：「喂，幫我寫個序啦不如。」

咁我就回佢：「Er……Err……」

其實我就從來都冇諗過會幫人寫序，甚至乎我冇乜點睇過人哋啲序，不過喺佢苦苦哀求之下，咁我唯有試吓寫啦。所以事先聲明，呢一篇可能係世上最失敗嘅一篇序。

阿OFF喺開始畫呢本書之前，已經搵我傾過幾次偈，又話好驚畫到本書又好核突啊好7啊，又冇人睇，睇咗又驚人哋冇共鳴。我話：「喂，咁好易解決啫，你唔出咪唔驚囉，咪唔核突囉！」

咁佢都係「Er……Err……」咁。

我話：「你試吓先啦。」

經過好多次電話裡面嘅「Er⋯⋯Err⋯⋯」，去到早幾日，我終於見到呢本書嘅其中一啲內容。

係啊，每次想試啲新嘢嘅時候梗會出現「Er⋯⋯Err⋯⋯」（可能你啲音同我啲音唔同）嘅情況，其實講到尾都係怕失敗怕7怕核突，我都係一樣。

慢慢，我學識咗點樣唔失敗，咪就係避晒啲會失敗嘅路囉。
慢慢，我學識咗唔試就唔會失敗。
慢慢，我學識咗用「唔啦」去取代「Er⋯⋯Err⋯⋯」。
慢慢，我唔知自己應該做乜，因為我已經唔敢再試新嘢。

後來我識咗一班人，阿OFF亦都係其中一員。有一句說話我哋成日都會講：「既然都咁大鑊，就不如試吓再大鑊啲啦！」

聽落好似好晦氣啊可，但其實意思係：「既然都失敗咗，咁不如試吓繼續啦。」

你認為你嘅人生好失敗咩？

可能係嘅，不過橫掂都失敗咗，不如試吓繼續啦。
呢個序係可能寫得好差㗎喇，既然係咁，不如試吓繼續啦。
呢本書係可能畫得好差㗎喇，既然係咁，不如試吓畫埋啦。

推薦序 ——旁白君

慘敗不敗

請回想一下，

你的人生有沒有那麼一個只許勝不許敗的瞬間？

相信我們都有些很想達到、很想成功，

卻一直未完成的計劃（例如減肥）。

要說是慘敗，看似有點太悲觀，

但其實所有人在獲得成功之前，都是失敗的。

有些人害怕失敗而怯於嘗試；

有些人太執著於成敗而停滯；

有些人受夠了失敗便放棄堅持。

以上的句子看似很負面，對吧？

但在我看來，果斷放棄，
承受失敗的結果，也可以很成功啊！

看！此書的作者，
人生失敗到可以把那些經歷結集成書，
其實也很成功啊。

還有啊，
其實所謂「成功」與「失敗」的定義，
絕對可以由自己界定的，
別被作者騙了，我可是認為她頗成功的。

被稱為無限接近幕前的幕後
（到底是未成功的幕前，還是失敗的幕後？）
文卓森（旁白君）

Born to fail

打開呢本書嘅你，我相信應該都係喺人生跑道上不斷仆街嘅同路人，仆到好劫，仆到損晒，好似生出嚟就會仆親嘅一班人，仆到懷疑人生。

世界為一班贏喺起跑線嘅人，改咗個好巴閉嘅名叫「人生勝利組」，咁我哋呢班由細仆到大，又跑得慢嘅人，就應該叫做「人生慘敗組」。

呢本書並唔係由成功人士教你成功嘅祕訣，世界上有好多書都係教人成功，但呢本書稍為現實少少，係分享失敗應該點算好，係由「人生慘敗組」裡面其中一個普通人，記錄低無數個失敗，分享仆街嘅經驗，同大家一齊成長，再發現原來失敗都可以好精彩。

觸發我寫呢本書嘅原因，係因為有一段時間我好討厭自己一事無成，覺得自己冇咩畀人欣賞。好想做好所有嘢，但都做唔好，有心無力，甚至覺得自己好似唔夠努力，好唔鍾意自己。但我後來發現如果一直想做符合人哋期望嘅人，或者人哋眼中嘅你，最後會走入一個死胡同裡面，變得更加討厭自己。經歷完之後，我決定用另一個心態去面對，所以想分享少少失敗心得畀大家。喺呢條失敗嘅路上，大家一啲都唔孤單。

人生慘敗組，條路自己揀，但仆街都可以喊！

序

目錄

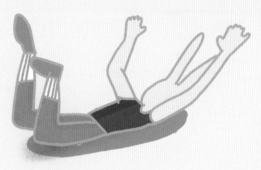

Chapter 1

可惜得到
只有劣評
沒有半粒星

仆街會痛，
失敗都會，
但痛楚都係短暫嘅。

人生慘敗Bingo

欠債 (學債都計)	冇乜專長	奻怕錯	戶口冇錢	外貌一般
冇車冇樓	單身狗	成日 羨慕人	學習 能力低	阿爸 阿媽 唔有錢
讀書 成績一般 /差	五秒講唔 出自己三個 優點	冇乜 人生目標	識唔多 過三種 語言	覺得 自己失敗

① 人生慘敗組 BINGO

首先，想知自己係咪慘敗組嘅一分子呢，我準備咗個「人生慘敗組 BINGO」畀大家玩吓。準則係嚟自網上大家普遍認為人生失敗嘅 人係點，再整合而得出嘅，大家就試吓睇吓自己有幾慘啦！

0 你唔准睇呢本書啊，睇人仆街好開心咩！
1—5 屬於十小慘
6—8 屬於小慘
9—11 屬於中慘
12—15 屬於大慘

唔知大家係有幾慘敗呢？不過我覺得嗰啲冇車冇樓、屋企冇錢、單身狗都唔係失敗嘅重點。重點係「覺得自己失敗」呢一項，所有圈咗呢項嘅人，無論其他你圈咗幾多都好，你都一定係大慘組！因為連自己都覺得自己失敗，呢個先係最慘敗。

而我曾經嘅BINGO係15個都圈晒，學習能力低、冇乜專長、覺得自己好失敗，可想然之我有幾咁失敗。

我的人生慘敗Bingo

欠債(學債都計)	冇乜專長	好怕錯	月光族	唔欣賞自己
容易有挫敗感	拍拖時唔做自己	成日羨慕人	學習能力低	父母唔認同自己嘅工作
拖延症	介意人哋眼光	冇乜人生目標	經常同人比較	覺得自己失敗

2

OFF爸嘅
低壓教女方式

喺我好細個嘅時候，我諗屋企人就已經知我唔會係一個精英。

因為我係……
一個可以將粒Lego塞入鼻哥窿，要去醫院鉗返出嚟嘅BB。
一個因為沖涼掛住望螞蟻，跣腳撞穿個下巴，縫咗三針嘅細路。
一個學咗四年鋼琴都淨係識彈考試歌嘅鋼琴學生。
一個每次家長日都會俾班主任投訴多嘢講嘅小朋友。
一個典型冇技能冇專長讀書唔叻嘅小學生。

當年我喺一間私立小學讀書，你可能會話：哼，咁你屋企即係有錢啦，又話冇！但並唔係咁樣㗎。我可以讀到私校，只係因為當時爸爸係一位公務員，政府有資助先有能力讀到，所以有錢嘅係我啲同學，而我都慢慢發現自己同其他同學係有啲唔同。

佢哋好多都有一技之長：彈琴、芭蕾舞、管弦樂等等，應有盡有，成日放咗學都要去補習，學英文，學奧數，明明放咗學但又要再返學。而我都有學過鋼琴嘅……不過就係半途而廢嘅人，唔鍾意彈啲 Beyer 之類，學極都學唔好。自從考鋼琴試肥佬咗之後，我阿爸都冇再嗱錢逼我學嚕，而我都永遠記得個考官連嗰 3 分都唔畀埋我。

我父母係用一套低壓嘅教育方式去教我，佢哋只有三個原則：

1. 盡咗力就得。
2. 冇興趣就唔好學，逼你練都冇癮，唔好嗱錢。
3. 唔好記缺點。

呢一種教導方式對某啲家長嚟講應該完全唔能夠接受，覺得冇令子女成才，冇訓練佢哋。而細個嘅我的而且確冇乜想同人競爭嘅心，年紀細細，就用一個「我就爛」嘅心態成長。

人哋日日拉緊小提琴嘅時候，我就係跟住阿哥嗌「Go Shoot!」玩爆旋陀螺；人哋打籃球打乒乓波嘅時候，我打嘅就係《便利商店》、《牧場物語》。

細個嘅我真係冇諗咁多，所以我都唔會太羨慕人哋有咩才能，最多只會羨慕佢哋有一啲好靚嘅卡通人物筆。傻吓傻吓咁長大令到我冇乜競爭力，雖然我嘅童年係愉快嘅，但都令我慢慢踏上「人生慘敗組」嘅路。

校規の鬼

難度 ★

1. 餓底

難度 ★★

2. 伸縮裙

I 12cm

難度 ★★★★★

3. 神秘冷衫

4. 夾夾夾！

FAiL!

校規之鬼

作為人生慘敗組，我真係冇乜才能，但係喺求學途中，我都有好努力尋找我嘅一技之長㗎……李小龍曾經講過「人生嘅目標係忠實地發展自身潛能，完成自我」啊嘛。（雖然～我連牧童笛都學唔識，吹得仲差過首《My Heart Will Go On》……）不過，有一期我真係以為我搵到自己嘅「才能」。

小六升中，因為小學成績尚可，所以我入咗一間Band 1嘅英中女校。間學校校風純樸，有天主教背景，所以有「修女學校」之稱。因為始終係Band 1女校，所以間中學有好多好多好多校規，可謂層出不窮、千變萬化。

其實，有好多校規唔緊要，緊要嘅係我屋企嘅家規！根據家規第三條，入咗間好學校一定要乖乖地，唔可以犯校規俾人記缺點。

（咁到底呢條係校規定家規呢？！？！？！）

正正係因為呢個原因，我發現喺校規同家規嘅壓迫下，我已經練成「安全地無視校規」嘅技能，成為「校規之鬼」！

校規之鬼成功突破嘅校規案例如下！！！

突破校規
不准穿著校服在外進食
難度系數：★

生而為人，我要反抗。因為，人，係會肚餓㗎！學校真係忍心啲女同學放學行行吓街，餓到血糖低，暈低喺貼紙相機鋪啊、K房啊、戲院啊咁咩⋯⋯所以，我多數會著件街褸遮住，咁就認唔到上身嘅校服，神不知鬼不覺。

校規之鬼，成功！

突破校規
裙長不得短於膝上 12cm
（而家文青裙興長過膝頭 12cm）
難度系數：★★

每日，係啊係每日啊，學校門口都會有風紀喺度度裙。佢哋會放一張凳喺學校門口，一發現有同學條裙特別短，就會叫佢跪上張凳上面檢查，即場用間尺去度。

而每一次要檢查嘅時候，校規之鬼就會出招喇！我會趁幫我檢查嘅風紀耷低頭望住間尺嗰陣，一齊將上半身微微烏低，喺神不知鬼不覺間，條裙就會向前溜，咁條裙就自然會長少少㗎喇。

校規之鬼，成功！

(不過怕7嘅我覺得其實呢條校規已經好好，其他學校裙嘅長度要過膝添啊。)

突破校規
冷衫長度不可以超過拳頭
(好奇怪，好難明係咪？！)
難度系數：★★★★★

呢條校規嘅難度在於要了解條校規喺乜乜……其實即係：冷衫唔可以過長，長度限制就係將手垂低之後要同個拳頭平排。喂，之但係，以前好興長賴賴嘅冷衫㗎嘛，同條裙一樣長㗎，三十幾度都要著住件冷衫。冷衫Fit身就唔係嗰種Feel㗎喇！

所以我返學嘅時候就發揮家政小技巧，用扣針扣住長咗出嚟嗰Part，放學一出校門就即刻放返出嚟。

校規之鬼，成功！

但係，上得山多終遇虎，校規太多食詐糊。當我沉醉喺自己成功發展到才能嘅時候……校規之鬼終於中伏了。

未能成功突破校規
頭上髮夾數量不得超過六個
原因：我個頭上面夾咗七隻夾！！

呢條莫名其妙嘅校規，竟然係個頭唔可以夾多過六隻夾，而更莫名其妙嘅係，我都唔記得條校規係幾時加上去……然後我就中伏了。

就係咁，我呢嗰校規之鬼就慘敗喺呢七隻夾手上，我仲獲得一張 Warning Letter，要家長簽名。我返到屋企，膽顫心驚，私私縮縮咁拎張 Warning Letter 畀我爸爸。

但係，但係啊！！估唔到我阿爸竟然完全冇鬧我，佢仲反問：「七隻夾就好曳㗎喇咩？」

難得搵到知音人，對呢啲無謂嘅校規作出批判，我梗係即刻好得戚咁附和：「係囉，幾無聊，所以話啦，校規呢啲嘢，好死㗎啫！人係生㗎嘛！如果我有咩差池，真係記咗缺點，唔好怪我啊，得唔得先？」

阿爸：「唔得！」

有時候，喺啲想灌輸所謂「正確」思想嘅地方，就會訂好多規則，令你成為佢哋心目中嘅人，但好多規則其實都好無聊，反而令到人更加想反抗。所以，即使我Break the rules，都唔代表我有問題。不過亦都係咁，人生慘敗組求學階段發展嘅才能：「校規之鬼」，都宣告都以失敗告終。

一字馬讓我
擔驚受怕

我諗應該冇人冇聽過「男人心一字馬」……啩？（唔知都唔好同我講！）男人心點解一字馬，呢個千古難題，就同我點解去學體操一樣。一樣咁撲朔迷離，哈。

我曾經係體操校隊，但係，唔好聽到校隊就以為好勁先。事實係，我只係校隊嘅後補成員，喺校隊嘅Waiting List度，最後有正選同學退出改入其他校隊，我先有份補上。我啲隊友就真係勁喇！佢哋本身好多都識前空翻、後滾翻啊，咩180度、360度反轉再反轉啊，大字馬、一字馬、跳馬啊，咩馬都得。

有一樣嘢，我係校隊入面都排到第一，就係我條筋～應該係隊中第一硬嗰個。啱啱入選嘅時候，老師叫我做個一字馬，我擘到腳都震埋啊。最後，我練成咗個離地成米高、可以成個人瓹過去嘅一字馬……

醜婦終須見家翁，作為校隊，點都要出去比賽，我呢個大後備都避無可避。學界比賽嚟到，教練幫我哋全部隊員報名參加比賽。喺交申請嘅前夕，我好想好想好想舉手話縮沙，不過原來喺呢呢啲時刻，舉手話唔參加需要嘅勇氣，比焗住參加嘅，係多好多。雖然我好唔想去，但最終我都係冇舉手，我都真係好失敗啊可？

我好怕比賽。我怕嗰種緊張嘅心情，好怕受注目，好怕喺其他人面前出醜。體操運動嘅美感，講求運動員嘅高度集中，但喺恐懼嘅加持下，令到呢場比賽難上加難。

嗰陣嘅我日日喺屋企練㗎，屋企好細，我盡量運用每一個空間，每日都跳嚟跳去。喺比賽前幾日，我屋企門鐘響起，原來係樓下嘅張太（好似係姓張），佢上嚟投訴叫我咪再跳……但我希望叫我咪再跳嘅，係校隊教練。

到咗正式比賽嘅日子，等住我嘅係一套自由體操同跳馬。我記得直到我起身嗰一刻，我都仲係好想逃避，想扮瞓過龍、扮唔舒服。卒之我攞住部未解鎖嘅電話，Chok咗把病聲出嚟講咗幾句，但我都係覺得自己演技太差，所以放低咗部電話。反正都練咗咁耐啦，

仲俾樓下張太鬧咗鑊，冇理由唔去嘅？我嗰陣真係以一個練咗唔好嘅嘅精神出發參加比賽，硬住頭皮上。

去到要比賽嘅嗰一刻，評判叫咗我個名，嗰一刻一直好緊張嘅我，突然平靜咗落嚟。到咗冇得再逃避嘅時刻，你都唔會再有時間忐忑，唔會有時間怕受注目、怕喺人前出醜。我個腦嗰一刻就只有一樣嘢：動作。雖然都叫做諗咗一下：唉～就算失手，應該都只喺一下嘅事啫？

最後我都算順利完成比賽，冇失手，而且因為我嘅近視太深，令我唔係太望到旁觀者嘅任何表情，都幫到唔少㗎。一直好忐忑嘅事，到唔再需要忐忑嘅嗰一刻，都真係幾舒服。

後尾，我都唔使再逃避，唔係因為俾教練叫我唔好再跳，而係因為成績太差，差到爭啲留班，所以要專心讀書，就冇再參加校隊。而樓下嘅張太亦都再冇機會叫我唔好再跳喇。

好多時我哋會逃避，係因為我哋好怕失敗嘅感覺，但原來放棄嘅感覺都一樣會令人囉囉攣。失敗嘅感覺可以好短暫，跳完、冇獎、完場。但係放棄嗰種囉囉攣，久唔久又會喺你毫無防備嘅時候返出嚟攣你一下，你可能會諗如果當時冇放棄會點？如果當時試咗係咪就會成功？所以有時放棄都唔係咁容易㗎……

我眼中的少少　　　髮型師眼中的少少

5

都「視」你的錯

深近視可以令我唔怕受到注目，唔怕俾人見到我失敗。但抬得你起，就撳得你低。深近視，都可以係令我失敗嘅原因。

中學開始我對自己嘅外貌都有啲要求，唔靚都唔好 7 嘛。但有時你愈對一啲嘢有期望，現實通常都會令你愈失望。有時剪完頭髮返屋企，真係連望都唔想望。

先唔講細個剪頭髮，都係俾爸爸媽媽帶去啲屋邨附近嘅髮型屋剪，作為小朋友嘅我，係冇選擇嘅權利。就好似盲婚啞嫁嘅愛情一樣，冇感情㗎～冇感覺㗎～成件事得佢哋開心㗎咋，剪完係得佢哋覺得靚㗎咋。

到升咗中學，以為可以去搵自己想去嘅Salon，但奈何零用錢唔多，

選擇都唔多（你睇人生慘敗組，剪個頭髮都慘啲㗎）。我又唔敢入去啲好似好有型嘅Salon，因為你哋都知啦，啲Package都係海鮮價，都係會俾人Sell做Treatment嗰啲嘅㗎嘛。

好喇，終於好有眼光咁揀咗間Salon，但原來係中伏嘅開始。

我近視好深，由小二開始已經要戴眼鏡，中學嘅時候已經五百幾度近視。所以去親剪頭髮睇得清楚自己髮型嘅時候，只有剪之前！同剪完！中間個過程，就好似抽獎咁，抽到乜，你睇唔到㗎，講運㗎咋。到剪完嗰吓，無論個頭剪得有幾醜，都已經無可挽救。名副其實，洗濕咗個頭。

就係因為我睇唔清楚，加上我個樣又生得細個，就出事囉⋯⋯個樣細本身可能係好事，但剪頭髮就唔係。女仔細個最緊要嘅就係撇陰，後面頭髮剪衰咗，最多咪紮起佢，但撇陰衰咗，就好大鑊。

因為我個樣生得細，所以無論我中一定中三定中七，啲髮型師都係會幫我剪細路陰，啫係一撇好碎好碎嘅陰，到最後差唔多剪完戴返眼鏡傾偈嘅時候，佢哋都係會話：「吓，我以為你好細個。」

嗰個時候已經覆水難收，撇陰都難修。

失敗得多，淆係正常嘅。之後我就患上剪頭髮恐懼症，差唔多一年先剪一次，仲要每次都係懷住打仗咁嘅心情去剪頭髮。而呢啲經歷都令我諗通咗：除咗拍拖要帶眼識人，剪頭髮更加需要！

6

你使唔使Check吓你係咪XX啊？

雖然我都唔係曳嘅學生，但我太好動、太鍾意講嘢嘅性格，都令我喺學校留低咗好多史詩式嘅故事。

有次早會，學校安排咗我哋玩啲無聊遊戲，晨早流流，我諗住Hea吓交吓戲就算，但係竟然咁都引到一位越南籍老師想同我做對手戲？！

當時呢位老師一舉手一投足都散發住屯馬線羅生嘅氣質，向住我大叫：「CRAZY MANDY！！！」佢就咁喺全校面前幫我改咗個花名，而不幸之中嘅大幸可能就係佢冇幫我作返首歌咁⋯⋯

自此之後，成校嘅同學都跟住咁叫我，而我……只可以欣然接受呢個花名。每一次聽到呢個名，我都只會露出一個尷尬而不失禮貌嘅微笑。而「CRAZY MANDY」呢個傳說，都一直留喺呢間學校入面。

我到呢一刻，都唔知自己CRAZY嘅點係咩？

唔講呢位「越南老師」係咪有心玩我（畢竟我成日都駁佢嘴），咁我都而且確係有啲缺乏專注力，所以喺老師眼中我都係成日搞搞震嘅學生。好多時上上吓堂，我會無啦啦執嘢，又會撩吓人傾偈，我仲試過俾老師拉過出去貼住牆坐添。我以為好多人都試過，大個問返啲朋友先知，原來得我先係咁！

又有一次，校長巡過我哋班房，觀察吓啲學生上堂嘅情況。佢可能望到我又唔留心啦，就突然叫咗我出去，佢話：「Mandy啊，你出一出嚟！」我聽到嗰吓真係好驚，都係嗰句啦：我真係唔可以記缺點㗎。

行到出去，佢煞有介事咁問：「你係咪成日都會唔專心啊？你係咪覺得啲嘢好悶啊？」我聽到佢咁問，內心已經緊張到好似出貓俾人捉到咁，心諗點答都死。我戰戰兢兢咁話：「係……啊……」

之後佢竟然好認真咁講：「你使唔使Check吓你係咪資優啊？啲資優生呢，好多嘢都識，所以上堂會覺得好悶，好唔留心㗎。你個口又快過個腦，又成日冇時停。」

資優？心諗咪玩啦，你係咪搞笑啊？嗰刻我真係成頭汗，唔知佢認真定想寸我。我唯有傻仔笑咁Hea佢：「遲啲去Check吓啊我。」

跟住我返到入班房，望到全班同學都係一臉「花生樣」，我班主任都急不及待咁問我：「校長同你講咩啊？」

我就好無奈、尷尷尬尬咁答：「佢問我係咪資優喎。」

班主任聽完即刻恥笑我：「未見過資優就嚟留班。」

全班同學：「哈哈哈哈！」

唉，無啦啦又俾人笑一鑊。

其實我校長冇錯，確實有學者分析過有啲資優兒童，係會好活潑好動，好唔專心，好多嘢講。但我班主任都冇錯，我的而且確只係一個好活潑好動，好唔專心，好多嘢講，就嚟留班嘅學生。

最後，我返到屋企將呢件事同我阿爸講，佢話喺我細個嗰陣係有帶過我去做智力測試㗎，因為原來佢都好擔心我，唔知我係資優定XX啦。好彩阿爸仲話：「放心，你係正常嘅。」

我嘅中學時代，大部分嘅時間都係渾渾噩噩，冇乜壓力，可能我間學校真係一個小溫室。雖然冇咩成就，但都唔會太有挫敗感。嗰一刻嘅

我覺得只要行為舉止唔好太曳，讀書盡量唔好唔合格就得。於是我每日都沉醉喺同同學嘻嘻哈哈嘅日子，盡情咁享受我嘅中學生活。

直到我第一次考公開試，要同全香港嘅會考生比較，我先發現自己唔可以再做廢青。我真係要面對人生嘅失敗，要還返咁多年嚟 9 掏掏嘅債。

嗰次公開試考衰咗，亦令我第一次對於自己嘅人生感到後悔。咁多年嚟，如果我肯努力啲，上堂唔好成日寸「羅老師」，認真聽書，煲少一套劇去溫書，結果會唔會唔一樣呢？我相信呢種諗法唔止得我一個人有，衰咗先嚟後悔嘅人應該同買唔到 MIRROR 飛嘅人一樣多。

不過而家講咩都嘥氣，考慮同選擇失敗後要做嘅事，先係失敗之後應該要做嘅事。

你使唔使Check吓你係咪XX啊？

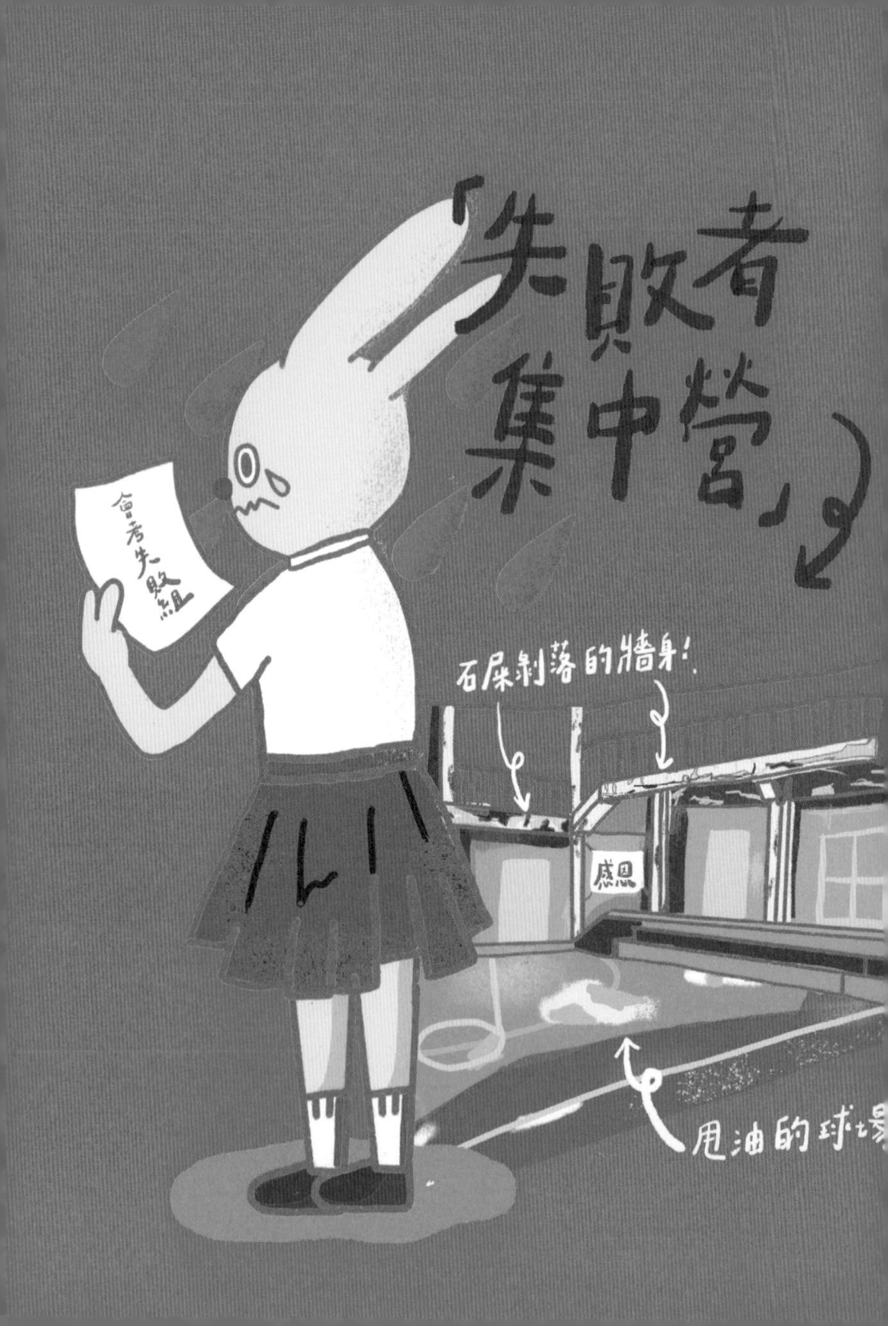
「失敗者集中營」
會考失敗組
石屎剝落的牆身！
感恩
甩油的球場

7

「失敗者集中營」

同好多人一樣，我都係公開試嘅「失敗者」。

因為我真係太享受中學生活喇，平時真係冇點溫書，臨急抱佛腳嘅我，會考當然考得唔好，我會考（係啊！我唔係考DSE㗎！）嘅成績得11分，知道嗰一刻雖然失落，但係又覺得係意料中事，不過要決定之後點行，始終都係有啲迷茫，但我嗰陣知道自己仲係好想讀中六，仲係好想著校服（係咪有校服癖啊我？大個又做阿OFF！），所以我就四周圍出去搵學校叩門，一知道邊度有學位，就飛的過去，去到又要即場面試。點知好多都冇學位剩，嗰陣為咗有書讀，我諗我最少都撲咗五六間學校！

最後終於畀我搵到一間私校，一間奇怪嘅私校，再難聽啲咁講呢，係一個「失敗者嘅集中營」！因為裡面嘅學生係嚟自五湖四海嘅

「公開試Loser」，仲要好多都係名校生添！不過嚟到呢間學校，校長就一視同仁嘅——準時交功課未必係好學生，但準時交學費就一定係好學生喇！

因為係私校嘅關係，學費並唔平，但學費同學校設施係唔成正比嘅。態度正確！好符合呢個商業社會，但唔成正比得真係有啲離譜！呢間學校就好似嗰啲會有小朋友扯晒旗仔叫：「歡迎！歡迎！」嘅山區小學咁。我仲記得有一次，我同個同學挨喺欄杆，佢講咗句：「我哋似唔似坐監啊？」所以大家幻想吓啦！成間學校最靚嘅地方就係個教堂，我諗我啲學費都係去晒喺嗰度。呢間學校，對於某啲人嚟講可能唔算太衝擊，但對於本來讀緊一間校風純樸嘅女校嘅我嚟講呢，就特別新奇有趣喇。

好喇！講到呢度，大家準備好同我展開呢個奇妙嘅旅程未？

首先出場嘅係校長，佢可以話係一個被教育耽誤咗嘅歌唱家，皆因佢非常熱愛唱歌。可能因為係閩南基督教會創立嘅學校啦，呢度好多老師、職員講嘢都係帶有閩南口音嘅，所以校長佢唱嘅詩歌都充滿閩南味。

佢嘅首本名曲係《主能夠》，大家想象吓啲教會歌通常都係唔啱音嘅，所以唱嚟唱去都係「主XX、主XX」，你話做學生嘅我點能夠唔笑啊，我真係冇諗過會喺度遇到真人版黎根校長㗎嘛！不過校長都有一個好可愛嘅位，就係每次聽到我哋跟住佢唱《主能夠》嘅時候佢都

會露出一個老懷安慰嘅笑容。嗰陣時啲男同學就最鍾意唱到「主能夠，我知祂能９」嘅時候，就大大聲唱，然後喺度笑，校長嗰時真係以為佢哋對唱歌係咁有熱誠。

被教育耽誤·咁歌唱笑

戴校長 (age:55)

技能：唱歌劇

飲歌：《主能夠》

口頭禪：失學冇未？

之後出場嘅係蘇Sir，目測佢都已經五、六十歲，佢簡直顛覆咗我對一個五十幾歲人嘅認知。佢係學校嘅訓導主任兼全校唯一嘅體育老師，同校長一樣講嘢帶有閩南口音。仲記得開學典禮講體育堂規矩嘅時候，佢話：「茅白波蟹，就著白反二（冇白波鞋，就著白飯魚）。」

基本上佢每日都係Polo Shirt加條揢到上心口嘅運動褲。仲記得第一堂體育堂，佢就喺雙槓上面打咗個前空翻，成班同學嚇到呆咗！大佬啊，五十幾歲㗎喇！嗰陣全校有十幾班，我諗佢前後都打咗十幾次，果真老而彌堅！

而最恐怖嘅唔係一個五十幾歲嘅阿叔打前空翻，係佢打完之後，仲話要其中一個同學出嚟做一次。嗰陣個個同學都心諗，咁7，唔好搞我啦大佬。我哋就好似啲準備上刑場嘅犯人咁，等待蘇Sir嘅發落。最後佢指住咗全班最靚嘅女同學，即係——我，個朋友。但我都係好驚，因為我都唔想望住我個朋友出醜。好彩嘅係，佢都叫順利完成到個前空翻，雖然過程有啲尷尬。

江湖中仲有個傳聞，話佢以前係教國家體操隊㗎，仲話佢其中一個學生係打羽毛球，叫林丹。奧運隊訪港嘅時候，林丹仲有搵佢斟茶畀佢添。

被教育耽誤嘅體操選手

蘇sir (age:60)

技能：雙槓

衣著喜好：褲揄上心口

口頭禪：係咪搞事（用閩南腔讀一次）
　　　　係咪狗屎

之後就有我哋一眾校工嬸嬸，佢哋可以話係全校食物鏈嘅最上層，我成日聽到佢哋鬧校長㗎！不過校工嬸嬸最厲害嘅係佢哋有一套獨門嘅洗廁所祕方，佢哋一係唔洗，一係就洗得好徹底，會用條水喉啡濕晒成個廁所。

每次去嗰啲洗完嘅廁所就好似去咗水舞間咁，啲牆喺度滴緊水，個廁板濕L晒。我諗佢哋都係俾校工耽誤嘅水舞間演員，要屈喺學校廁所表演。

其實呢間學校仲有好多光怪陸離嘅事，例如：師生三、四角戀啊；有個老師個頭經常有損傷，然後失驚無神走咗佬啊；有Miss有精神病成日爆粗啊；有老師會同學生一齊玩到成身麵粉啊……一啲正常學校唔會發生嘅事，唔會遇到嘅人，統統都會喺呢度出現。

但，呢啲都唔係重點，因為……

學校入面有間
萬事屋

入面有三位阿sir～

8

三位阿Sir

重點係我喺呢間學校入面認識咗三位阿Sir，三位徹底改變咗我嘅老師。

形容吓佢哋先，首先佢哋都係幾年輕，好似大我七、八歲左右。我以前讀嘅女校就好似有不明文規定唔可以請年輕俊俏嘅阿Sir，如果有都一定係結咗婚嘅，所以我都係第一次遇到啲咁後生嘅阿Sir，仲要一嚟就三個！

佢哋一位係柔弱書生型，一位係浪子憂鬱型，一位係粗豪醒目型嘅，佢哋會叫自己做「三怪」。我成日都會話佢哋就好似《銀魂》入面嘅主角咁，整咗間萬事屋，專門受學生委托去解決問題。總之就非常中二病，邊有老師咁㗎？

而佢哋講嘢一啲都唔大方得體,成日都寸9啲學生,但我竟然樂在其中,可能我M底啩⋯⋯

佢哋Lunch Time會邀請我喺教員室同佢哋一齊食飯,放咗學之後我又會同佢哋一齊去茶餐廳食下午茶,佢哋會講學校架構同制度上嘅問題,呢啲嘢可能會俾人話好破格,但我就反而覺得咁令佢哋更有血有肉。佢哋三位都係教中化(知唔知係乜?全寫係「中國語文及文化科」),經常都Diu個社會,教我做人要有「風骨同氣節」。

以前中一到中五喺溫室入面長大,成班女仔,柴娃娃咁,雖然未至於對個社會不聞不問,但嗰陣的而且確覺得自己愛莫能助。不過佢哋話對社會要抱住一份執著,對個時代要「擇善固執」,因為人係要選擇正確嘅事去做,堅定不移咁努力落去,要有「明知不可為而為之」嘅精神。

仲記得畢業準備考A-Level嘅時候,我都有啲壓力。我真係唔想再考得唔好,好怕再失敗,好似用咗屋企好多錢去讀中六,而繼續讀中六又係我揀嘅,我真係好怕我嘅失敗會令我爸爸媽媽失望同加重負擔。我怕努力後得唔到理想嘅結果,所以我唔想去努力,唔想去面對。

但係,其中一個阿Sir同我講:「嗯,對你嚟講呢種壓力係必然嘅,但我冇你呢種經驗,因為我當時都唔會在意他人嘅目光,反正我係喺鄙夷同失望中長大,所以我努力、我上進,為嘅都係我自己。

不過，無論為咗邊個都好，其實努力都係我哋唯一嘅出路。的確，付出同收穫好多時都不成正比，但咁只係預視你有下一條更應該走嘅路。

就好似有一句歌詞：『沿途就算跌　要跌得好看　才能不自責報答別人厚望』。

其實，跌得好睇，就已經足夠。」

最後我中七A-Level都係一樣唔成功，考得唔好，個成績唔會入到大學，但我已經冇上一次公開試咁迷茫同傷心。因為今次入咗呢間學校，比起我去考公開試，得到嘅更多。

考得好唔好都係其次，重點係我都知道我要點樣去面對之後嘅人生。

由細到大，我都唔希望行差踏錯，好希望自己喺所謂正確嘅路上前進，讀一間好學校，做一個好學生，但我中六中七去到一間所謂「失敗」嘅學校，啟發到嘅東西更多，成長更多。

我呢個喺溫室長大嘅人，明白讀咩都唔係最重要，一個人有冇缺點都唔係最大問題，因為讀書從來唔係讀書，而係要學做人嘅態度。

所以我好慶幸入咗呢間咁棘咁奇怪嘅學校，遇到佢哋三個。喺傳統學校應該唔會遇到咁嘅老師，我之所以成為被選中嘅細路，都要多得自己當年會考考得咁差。

可能我喺公開試入面係一個Loser，但喺呢條學習路上，我絕對唔係。所以若果呢刻你覺得自己係公開試嘅「失敗者」，咁都只不過係失敗嘅教育制度下嘅其中一個，唔好因為咁就畀自己有藉口成為成長路上嘅Loser啊！

Chapter 2

你想？我想？
夢想？

唔想覺得自己失敗，
咁就唔好畀機會
自己唔鍾意自己。

9
你想？

網絡成日流傳一句說話：「小朋友才做選擇，大人全都要。」但其實又有邊個大人唔知，呢句說話不過都係講吓，氹吓自己啫。而現實從來都係「大人要做選擇，小朋友先可以全都要。」

有冇發現人大咗，遇到嘅選擇題就愈嚟愈多？（可憐我仲係十級選擇困難症嘅天秤座……）正如我之前所講，當年中七公開試我失敗咗，但失敗咗唔係問題，問題係失敗之後嘅選擇題：

你想做咩啊？你想讀咩科啊？
你想唔想返工啊？你想唔想做公務員啊？
你想唔想高人工啊？定你想讀大學啊？
你有冇理想啊？你想點啊？

呢啲問題，係要你喺心裡面選擇完再答，所以關於「你想」嘅問題，通常都好難答。講「你想」好難，因為背後有一種承諾——因為「你想」，所以你要做到啊。亦因為咁，「你想」嘅問題，大家通常都唔係好敢答。

但講「我唔想」好容易，聽落有性格，又好瀟灑，更加唔會有種責任。所以往往人地問「你想」，我都會用「我唔想」去回答。透過排除法，經歷咗好多次「我唔想」之後，我慢慢搵到自己真係想做嘅事……

講返公開試後，當時我只係知自己唔想做嘢住，所以我選擇繼續讀書。Asso 入面，總算有兩個學科係我有興趣嘅，一個係幼兒教育，另一個就係設計。但唔知聽邊個講，幼教係冇男人㗎！會搵唔到男朋友㗎！我……我唔想冇男朋友啊！

就係咁，我選擇咗設計系。

你想？

10
我 想 ？

到底我係幾時開始想讀設計？

由細到大，我都真係鍾意畫畫，中學嘅時候亦有修Art。坐唔定，有專注力缺乏症嘅我，只有畫畫嘅時候先可以最集中、最投入。但冇正式學過畫畫嘅我，同其他同學比，點都係比較遜色。

但慶幸嘅係，當年會考，美術老師幫我哋揀咗「設計卷」。好多人讀Art都會讀美術史，畫油畫同素描咁，但因為我哋考嘅係設計卷，上Art堂嘅時候，老師畀我哋睇嘅都唔只係藝術畫、藝術歷史，仲有一啲好得意，好有創意嘅廣告案例。

由嗰陣開始，我就對設計有興趣。我會成日去圖書館睇好多關於Design嘅書，搭地鐵嗰陣又會留意吓啲廣告牌。因為有興趣，我

都願意花好多時間喺呢科度，會用最多嘅時間做Artwork，又會同同學一齊通宵趕功課。

之後，我喺網上見到由「天比高創作伙伴」舉辦嘅設計課程，我一刻都冇猶豫過就決定報名參加。而後來，天比高設計部嘅嗰班人，亦成為咗我設計路上嘅啟蒙老師。

唔知你有冇聽過咩係「天比高」，開頭我對佢嘅印象只係得「周星馳棟樓」，後尾先知佢係一個畀後生仔做創作嘅地方，電影、文案、設計、攝影、動畫等等範疇都有，畀年青人嘗試創作唔同作品。唔少出名嘅創作人都喺「天比高」度打滾過㗎！例如大名鼎鼎嘅腦細林日曦啦，仲有東方昇、李拾壹、游學修、黃飛鵬等等。

與此同時，天比高仲有另一樣好出名嘅嘢，就係「好──遠──啊──」！佢位處香港最最大西北嘅地方──天水圍，我諗都係因為咁而叫天比高。我仲記得，嗰陣喺麵包鋪返Part-time嘅我，七點開始返工，到四點放咗工之後就會坐個幾鐘頭車入去學嘢，放咗學都十二點幾。當時山長水遠都堅持日日咁樣返工放工返學放學，仲要覺得好開心。嗰刻我就諗，呢個應該就係我想做嘅嘢，想學嘅嘢。

好多時人哋問你想點嘅時候，你未必可以即時好肯定咁講到。但之後不妨花啲時間諗真啲，有冇一樣嘢，明明個個都話辛苦，偏偏你就一直願意做？或者嗰樣嘢，就係你一直想做嘅嘢。

我
想
？

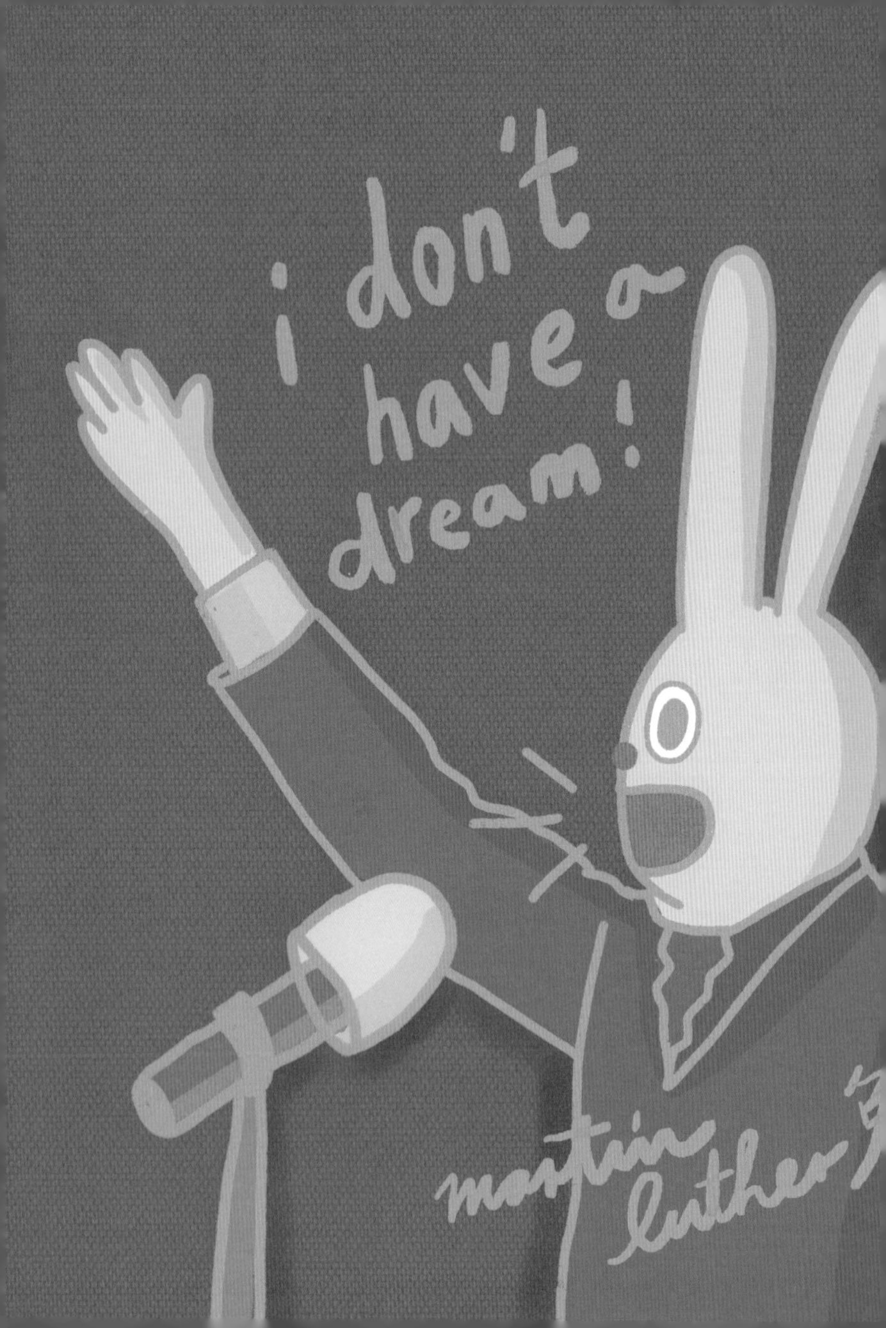
i don't have a dream!
martin luther

夢想？

我仲記得，讀Asso嘅時候，曾經有一份Packaging Design嘅功課，題目係「夢想 DREAM」（冇錯，非常老套）。一聽到夢想，通常都會覺得好老套。

夢想喎，好中二病㗎喎。
夢想喎，講咗就唔型㗎啦嘛。
夢想喎，係咪一定要好勁㗎？
夢想喎，我有咩夢想啊？

但我啲同學又好有大志咁。有同學話想環遊世界，有同學立志保護動物，有同學要組隊膾炙人口嘅Band⋯⋯大家都好有想法咁，除咗我，我聽到夢想嘅時候個腦一片空白。我瘋狂咁諗我有咩夢想⋯⋯

環遊世界？我都想見識吓呢個世界嘅，但話想做空姐又太普通，同埋我又唔係好襯做空姐。我又諗返起自己以前寫紀念冊嘅時候，每次嘅夢想都係寫想做 Designer。但我而家已經讀緊 Design 啦，所以我覺得自己嘅夢想好冇大志，冇乜特別。

既然我諗極都諗唔到自己嘅夢想，咁不如諗吓人哋嘅夢想啦！我諗起平時睇嗰啲八卦雜誌成日都話啲女明星想嫁入豪門，雜誌又話啲人參選港姐都係為咗嫁個有錢人。既然「嫁個有錢人」係咁多女人嘅夢想，咁我就整個嫁入豪門嘅 Kit Set：

1. 一張綜合咗唔同嫁入豪門嘅女生外貌指南，供佢哋整容嘅時候參考
例如徐子淇啊，李嘉欣等等，仲加入玄學角度，點整個樣會有福氣啲。
你知啦，有啲有錢人好迷信㗎嘛，奶奶嗰關都好緊要㗎！

2. 一枝滴咗眼睛會 Bling Bling 嘅眼藥水
功能好似而家啲大眼仔咁，滴咗對雙眼會水汪汪，楚楚可憐咁，電暈
所有男人。

3. 上流社會嘅入場 Pass
用嚟同上流人士打好關係，因為近水樓台先得月。

4. 一份壯陽餐單，生蠔啊，鹿鞭啊，列晒嗰啲食物。
買咗呢個 Set 嘅女士就可以煮畀個有錢佬食，等自己易啲有 BB，
咁就母憑子貴啦。

而呢份咁騎呢嘅作品，我喺大學面試嘅時候亦都有拎出嚟Present。個Professor聽完之後，笑住問我：「哈哈，呢個係唔係你嘅夢想啊？」我斬釘截鐵咁講：「唔係啊！我唔鍾意有錢佬㗎！」（點解我細個會講啲咁大逆不道嘅說話呢？）

最後，呢份名為「夢想」，又未必唔係我夢想嘅作品，竟然令我嘅夢想成真！冇錯！豪門就入唔到喇，但我成功入到大學！

係囉，夢想有大有細㗎嘛。好多人一聽到「夢想」就會Expect係一啲好勁嘅嘢，例如要做太空人，要開好多間好出名嘅鋪頭等等。因為好多人成日會話夢想愈大，成先會愈大，但我覺得，「夢想」未必要係一件好大嘅事。有人會覺得冇夢想冇目標會係一個問題，但可能只係你未去到嗰一個階段，每個人人生遇到嘅事都唔一樣，人生有咁多嘢可以嘗試，所以夢想都係可以一步步去發掘嘅。

後來呢幾年，我個「夢想」Package 真係出現咗，有一樣叫做「PUA天王嫂訓練營」嘅嘢（PUA = Pick-up Artist，指好識吸引異性，利用心理學令啲異性著迷嘅人），個創辦人仲做到發咗達添。

12 成就解鎖， 又鎖返

一直以嚟，我都好想入到大學。「大學」，就好似打機中嘅一個大關卡咁，過到呢，就係成就解鎖。當然，亦存在滿足父母嘅寄望，至少覺得自己冇浪費佢哋供書教學。

仲記得收到大學取錄通知書嘅嗰一刻，我的而且確係好激動。嗰朝早我㓟㓟瞓醒，一起身我爸爸就話：「浸會大學有封信畀你喎。」我喺度諗：有信係咪即係有結果喇？一打開封信見到一堆英文，直到見到個學系嘅名，我先知佢哋真係收咗我。我仲好驚自己睇錯，反覆睇咗封信幾次，望清楚每一隻字，先同爸爸講：「浸大收咗我喇！！！！！」中學經歷咗咁多波折，就連考公開試都唔係咁順利，今次終於成就解鎖。

成功踏入大學，係我最為自己驕傲嘅事。喺大學，我以為唔須要

再同人競爭，只須要享受學習。但同一時間我先發現，我一直以為自己特別叻嘅嗰樣「專長」，喺大學入面，已經唔係「唯你獨專」。叻過我嘅，大有人在。

讀Art除咗畫畫之外，仲有好多手工嘢要做。我發現我好多技巧都唔及其他同學，作品做得唔夠佢哋細緻，又冇佢哋咁深厚嘅畫畫根基。有時上堂或者交功課，要擺晒啲作品出嚟嗰陣，我就會不自覺咁同人比較。雖然藝術成日強調作者嘅意念先係最重要，但係我嘅作品同人哋嘅真係差好遠。

今次唔係發現自己冇才能，而係連你引以為傲嘅才能，都有好多人比你優勝。我個成就鎖好似又鎖返喇。我唯有努力咁喺大學掙扎求存，每晚都要留喺學校嘅金工房度整Artwork，又要通宵畫國畫，練書法。

點知，我發現自己原來有一個好嚴重嘅病⋯⋯

成就解鎖，又鎖返

13
時間管理白癡

冇錯，我係一個病入膏肓嘅拖延症病人。

如果我認識時間管理大師羅志祥嘅話，我一定會拜佢為師。

我，係一個時間管理白癡，進擊嘅Deadline Fighter。 呢個，就係我覺得導致自己失敗嘅其中一個大問題。由細到大，我都唔係未雨綢繆嘅人，好多嘢都到Last Minute先做。會考嗰本《最後一分鐘》，我真係齊晒成個Collection。無論功課、Present 、Essay、畢業作品定稅單，一！律！拖！得！就！拖！

起初，我仲要唔係好意識到呢個問題。大學嘅畢業作品，我選擇咗用「金工」作為作品嘅媒介。金工係一樣要好多時間嘅藝術，因為你要將一塊銅片，變成一個作品。當中嘅工序非常多：首先你要鋸

好個形狀，用大火燒完再塑型，塑型後要燒焊，將唔同部分接駁埋一齊，再磨滑佢、拎去拋光，先可以叫做完成。有時間準備嘅話，就叫做挑戰自己；冇時間嘅話呢，就叫不自量力。所以，我爭啲都畢唔到業。

上網睇過拖延症，有以下呢幾個原因：

1. 唔急住做，所以唔做
2. 唔知點樣開始，咁就唔開始
3. 完美主義，怕失敗，唔做就唔失敗
4. 唔逼出唔到好嘢

或者好多拖延症患者都同我一樣，覺得好多嘢之所以成功，都不過係自己符碌，從而忽略晒自己曾經都付出過嘅努力，對自己愈嚟愈失去信心⋯⋯

信心係一點點累積嘅，冇信心都係一樣。呢啲符碌過關嘅黑歷史，只會永遠記住喺自己心入面，然後惡性循環。拖延症患者，好多時候唔係人哋責怪你，而係你唔鍾意自己。

時間管理白癡

Chapter 3

別人以為
我在100毛
很成功

失敗同成功都係
由兩個字組成
——自己。

14
做條毛

喺我二十三歲嘅時候,我加入咗《100毛》,呢份係我畢業後嘅第一份工。捱過無數個凌晨,又通過無數個頂,呢份工帶畀我嘅係黑眼圈同水腫,同時仲有數唔清嘅成功同失敗。

可能你會好奇,到底我係點入到呢間咁特別嘅公司嘅呢?原因係東方昇同卓韻芝。

細細個喺「天比高」,我已經認識咗東方昇,以前嘅東方昇係好Cool㗎,唔係好出聲,不過嚴格嚟講唔係認識,只係互相知道大家嘅存在。去到有一次同當時已經係東方昇嘅佢喺Facebook寒暄咗幾句,點知佢就問我有冇興趣嚟100毛做PA(Production Assistant)。

而當時，我連PA係做乜都唔係好知，明明我原本條路係想成為一個
Designer，但係又覺得難得有機會做100毛，應該幾好玩，所以就
決定試吓做喇。

於是，我去咗見工，見我嘅人係陳強同阿BU。嘩，一嚟就見腦細，
都有啲緊張嘅。佢哋問嘅問題，全部都好簡短：「喂，叫咩名？點解
想入嚟做啊，幾時返得工？」佢哋好快就請咗我，而阿BU話請我嘅
原因，係因為我個名同卓韻芝好似，而阿BU同卓韻芝係好Friend
嘅（你話有咩可能唔覺得自己係符碌啊？！）。

因為個名而入到100毛，可能係我最接近「人生勝利組」嘅一次。

啱啱入100毛，四周圍都係「黑蚊蚊」，我本身以為係因為《黑紙》，
或者「黑面腦細」嘅原因，後尾我發現公司咁黑，係掩飾公司好亂
嘅好方法，記得東方昇話我知我嗰位喺邊嘅時候，佢一手推走枱上嘅
雜物，將啲雜物周圍掁走，枱上佈滿唔同期數嘅100毛雜誌，同稀
奇古怪嘅道具，例如：扮光頭嘅頭套、激光劍、師奶款胸圍⋯⋯真係
「目不暇給」。

過咗一個星期，我就明白到點解公司會咁亂。因為當時PA係屬於節
目部同廣告部，要負責嘅節目包括《六點半左右新聞報導》同《勁
曲金曲》。當時，因為要追每日發生嘅議題，朝早度橋，晏晝拍攝，
凌晨出片，所以日日都好似打仗咁。打緊仗喎，邊有人執嘢㗎。

而每個朝早度橋嘅時間，就係經歷無數次嘅失敗同源源不絕嘅
挫敗。一條可以出街嘅橋，係可能要俾人Ban好多好多次先會

出現，而當時作為小薯仔，但又要同三個腦細度橋嘅我，每一日都提心吊膽咁一齊開會。

做條毛

但其實我喺 100毛，做過好多個職位，PA只係其中一個。

15
學生妹的
自我修養

我諗我喺 100 毛最為人所認識嘅，就係扮演一個學生妹。但做呢份工之前，我冇諗過會成為一個幕前。

對唱歌演戲有冇興趣？可能只限於喺沖涼嘅時候扮吓 Gossip Girl 裡面啲女仔，唱吓歌，扮拎到金像獎講吓得獎感受。係咪冇興趣呢？又唔係。講到尾，最大原因咪又係冇信心。

仲記得中學嘅時候，可能因為我講嘢比較大聲，就俾人以為我係一個充滿表演慾嘅人。有一次社際話劇有人邀請咗我做女主角，但我因為驚自己做得唔好，所以揀咗一個只係出一幕嘅小角色。重點並唔係小角色定女主角，而係因為我驚而冇勇氣去挑戰。

而令我變成學生妹擔當嘅原因呢，係因為嗰陣《六點半左右新聞報導》

有一集要我哋探討網上一啲小朋友透過代小學生做功課嚟賺錢嘅問題，而我就係呢個「放蛇行動」被選中嘅學生妹。當時嘅情況係咁：

腦細A喺公司行嚟行去，好日都唔會望吓同事嘅佢，突然行到我隔籬。

腦細：「你扮細路講幾句嘢嚟聽吓。」

我內心有十萬個黑人問號，一千萬個唔願意，但腦細A嘅氣場實在太勁，我最後都係……

我用細路Tone講：「我唔識做呢題啊，可摸以幫我做啊？」

腦細：「幾似喎，就你啦。」

我當時只係返咗幾日工，就要出鏡做學生妹。你可能會覺得好古怪，不過我記得有一個同事，佢做剪接嘅，佢第一日返工就要出鏡。嗰陣腦細話：「你嗰樣生得好財神喎，幫我扮財神啊。」重點係個男仔一啲都唔似財神，反而似皮膚白到就死嘅徐志摩。

我嘅處女作就喺一個冇得驚嘅情況下出現咗，我就係咁做咗學生妹。做學生妹呢個角色其實都幾著數嘅，就係比較可以出錯，可以有啲蝦碌，咁就唔怕俾人話喇。

做過最不孝嘅事

我入100毛，應該係我做過最不孝嘅事。

好多時候，我哋都希望成功之後可以同身邊嘅家人分享，但如果事與願違呢？如果佢哋唔明白唔認同，挫敗感就會爆升。

因為《六點半左右》係即日出嘅關係，所以嗰陣時我每日嘅工作時間就係朝早八點返去同腦細同嘅大佬度橋，跟住就要寫稿、籌備同拍攝。條片剪完通常已經係凌晨，基本上返到屋企已經係朝早，沖完個涼瞓一陣又要起身返工。雖然嗰陣真係好L劫，但每一日都係充實嘅，而且有份參與製作嘅影片有迴響同受歡迎係令人好感動嘅。

但係正當我開始有啲成功感嘅時候，我都Feel到我爸爸由原本好關心我，慢慢變到開始有啲怨言。佢唔明點解我要日日做到咁夜，

對佢嚟講，大學生出嚟搵嘅工唔應該係咁辛苦。喺上一代眼中，讀大學就係為咗搵一份返得舒服嘅工。雖然爸爸都明做廣告、媒體嘅工作要嘅時間係多啲，但佢冇諗過會誇張到咁。佢覺得呢份工就算搵再多錢都冇意思，因為份工實在太辛苦喇。

我爸爸有時候唔會直接表達自己諗法，佢會用好特別嘅方式去講佢想講嘅嘢。就係——剪報紙！

中六嗰陣，我成日同朋友出街，玩到好夜先返。我第二日枱頭就會出現，「少女夜歸慘遇變態色魔」、「扑頭搶劫黨深夜出沒」之類嘅報導。佢就咁將啲剪報擺喺我枱面，到我起身見到自然就明白，大家心照不宣。

我記得我做 100 毛嗰段時間我枱面出現嘅除咗有「90後少女工作過勞惹絕症」之外，都有「通宵滋補靚湯食譜」、「簡單按摩 舒緩疲累的穴位」。可能佢覺得話完我都聽唔入耳，就直接剪呢啲報紙畀我啦。

我一直都好少同屋企人講我係做緊乜，但我知佢哋有喺YouTube Search過，又有睇過我嘅片。直到有一次，爸爸終於忍唔住開口話我。

嗰晚我凌晨返到屋企，我爸爸同我講：「都唔知你日日做埋啲馬騮戲係為乜？扮咩學生妹呢，冇嘢正經。日日都咁夜收工，搵食都要瞓覺㗎，有乜咁巴閉啊。」

我爸爸好少講啲好難聽嘅說話，但呢次真係令我覺得好哽耳。年代唔同，想法唔同，佢根本唔明我做緊咩，我懷疑佢懷疑我做緊嘅係純情學生妹。我成日都好想同佢解釋，但好怕講唔夠兩句又會嗌交。

嗰陣就嚟要做《分獎典禮》，因為可以喺一個大Show演出，本應係一件好開心嘅事，公司同事仲畀咗幾張飛我請屋企人嚟睇，但我最後都係冇畀到佢哋，就咁將啲飛畀咗同事就算。

我本身都唔係一個好鍾意同屋企人分享自己做緊咩嘅人，我好怕佢哋嘅批評。其實佢哋都好少批評我，但係我自己已經驚咗先，我好怕人哋問我「點解要咁樣做？」，但諗返起無論我做咩都好，佢哋一直以嚟都好支持我。

最後佢哋喺電視度睇《分獎典禮》直播，完咗之後我收到爸爸嘅Message話：「做得好好，好夜喇，快啲返嚟休息。」

嗰一刻我好感動，第一次覺得佢哋終於明我做緊咩。有時我以為出面嘅人或者觀眾識得欣賞我就夠，但原來屋企人嘅諗法都對我有好大影響。當我做到啲成績嘅時候，最親嘅人唔明我做乜，原來係好難受。

我唔係想做啲嘢去證明畀佢哋睇我冇揀錯路，我只係想佢哋明白我做嘅嘢。後尾諗返我都覺得自己以前同佢哋解釋得太少，一開口我就鬧，所以後來我都有同佢哋講我而家做緊咩，我想轉工嘅時候都有同佢哋解釋。

一直以嚟，我爸爸都唔係唔支持我，只係想我唔好咁辛苦，最緊要身體健康。成功靠父幹，我諗我嘅父幹就係一個唔會阻止我嘅爸爸。如果成功但冇佢哋同我分享，咁就冇乜意義啦！

做過最不孝嘅事

17
一巴掌，
令我懷疑人生

睇電視見到司棋姐打米雪打到啪啪聲就梗係過癮啦，但係原來打人並唔係咁易㗎。記得有一次，因為一巴掌，令我懷疑人生。

當時我又係拍緊《六點半左右》，係同東方昇拍嘅，內容係講述……總之我要摑佢啦！但係我打唔到，唔係，應該係打得唔好。因為喺鏡頭下要摑人摑得好睇，就要快狠準，我當然做唔到啦。結果用唔上唔落嘅力度打咗佢好多次，NG咗十次以上。

氣氛都開始變得緊張，因為大家都Feel到東方昇有啲忟，四周圍嘅同事都唔敢出聲。因為我打極都打唔啱，打極都打唔中導演要求，東方昇終於忍唔住，因為佢已經俾我打咗十幾巴。佢好大聲咁講：「喂，如果你唔得，你唔好做演員啊，唔係玩㗎大佬，全世界等你

收工㗎。你咁樣唔係仁慈，係一啲都唔專業。你大力啲打啦！如果做
唔到，你真係考慮吓適唔適合做演員。」

我聽完嗰一刻，我明白佢大聲鬧我係用緊激將法，希望我會嬲到狠
狠咁大力摑佢一巴，可惜我嗰一刻真係好廢，淨係識喊。因為我覺
得自己打唔到，就算佢點鬧我我都打唔落手，最後喺導演只有六成
滿意嘅情況下完成咗拍攝。

嗰一日返到屋企，我都有係咁諗返起呢件事。我覺得自己好似冇演
員應有嘅專業，好似作為演員，有啲事唔係話做唔到就可以解決。

做學生妹嘅時候本來覺得幾容易，因為都係扮吓小朋友聲，平時就
算講錯台詞，大家都係笑吓就算，然後就NG再拍過。但嗰次知道原
來你一個人做唔到，係會影響全部人，搞到大家收唔到工。

雖然我哋100毛嘅片題材搞鬼，但唔代表係一件兒戲嘅事，我都
開始質疑自己係咪真係適合做一個幕前？定不如我都係做返一個
Designer？

18
彈出又彈入

曾經有一段時間我係離開咗 100 毛。

當時喺 100 毛,我係同時做幕前幕後。幕前嘅工作,的而且確令我有好多唔同嘅工作機會,畀我見識個世界,又有機會同啲藝人前輩合作,又有一班支持自己嘅人,真係全港最開心嘅學生妹啊。

幕後嘅工作都一樣精彩,籌備拍攝廣告,做美術指導等等。出到嚟嘅廣告迴響好大,View 數多,令我好有成功感。但係當要負責嘅嘢愈嚟愈多,工作都愈嚟愈忙。

慢慢做得多嘅時候,同時亦都想其他人欣賞我嘅努力。大家好努力做好一個 Project 嘅時候,都會好想老細欣賞㗎嘛。但係職場就係

咁殘忍，有時候做幾多都未必有人知。呢個狀態令我開始唔識欣賞自己，覺得自己喺呢個崗位冇乜價值，邊個都可以取代我咁。

愈嚟愈劫嘅時候，我就開始問自己：「其實我喺度做緊啲乜？」當時屋企人同身邊嘅朋友都有問我「點解要返一份咁忙嘅工？」、「做呢份工對你有咩好？」、「點解要繼續留喺呢度？」嗰時嘅我，好希望可以發揮自己嘅才能，同有人識得欣賞，於是我決定離開 100 毛。

之後我去咗另一間廣告公司，我喺嗰間公司負責做 Designer，主要諗吓橋、畫吓圖、砌吓 Layout 等等。因為自己嘅專長能夠用喺工作上面同發揮得到，所以嗰陣終於搵返久違嘅成功感！當時公司創作自由度高，冇咁多框架，同事之間又會互相欣賞大家嘅付出。總之就係成個工作環境都好和諧，好似一個與世無爭嘅世外桃源咁，係真係會令人覺得安穩到可以做到退休嘅地方。

不過人係犯賤嘅，我喺廣告公司做咗一段時間，又開始懷疑人生。廣告公司呢份工係好好，甚至可以靠呢份工過一世，但我又唔想就咁過一世。我想要一啲新嘅突破。

去到有一日，我記得，係一個聚會上，我見到腦細A。

我同佢講：「我好似想返嚟 100 毛……」

佢問我：「係咪而家做得唔開心？」

我就答佢：「唔係，好開心㗎。」

腦細就話：「開心唔夠咩？你開心就夠啦。」

我嗰刻聽到係好感動嘅，心裡面喊到流晒鼻涕，畢竟當年我都係好任性咁走，走嘅時候又冇同腦細解釋清楚。

腦細再話：「你哋而家啲九十後真係煩，開心都愁，如果你真係想，咪返嚟囉。」

之後我就同廣告公司辭咗職，我同嗰班同事解釋嘅時候佢哋都好支持我，叫我繼續去闖吓。廣告公司嘅老細仲同我講：「好支持啊，後生係應該要咁㗎，去啦！」

我好慶幸我有兩個咁好嘅老細。

就係咁，我返咗 100 毛。而今次我要挑戰製作一個自己嘅節目——《細路做嘢唔使你教》。

About.
followers!

：哇！你 ig follower 升
嘅速度樹懶咁啊！

某朋友

10 likes

19

Followers & Character

自己製作一個節目,拍攝前期要度橋,要令人對條片有興趣。由搵人選,到搵齊人同Book場地,呢啲籌備工作都要由我負責。正式拍攝嗰陣,又要負責湊住個小朋友,要令小朋友有反應,唔好喊或者扭計搵媽咪,同時要控制成個拍攝流程。去到後期又要幫手剪接,又想加入自己嘅畫作,所以片入面好多彈出嚟嘅圖同動畫都係我自己整㗎。最後到條片出街,又會擔心View數,受唔受歡迎,觀眾嘅評價係點之類。

總之全部嘢都好L驚!好L緊張!好怕錯!好驚差!

一條片成唔成功,普遍都係用View數、Like數,同討論程度去衡量。一個節目嘅主持人紅唔紅,有冇價值,大家會睇佢節目後Followers有冇飆升。

而我做嘅《細路做嘢唔使你教》，成績都一般。啲片嘅View數又唔係好多，又冇幫我帶嚟好多Followers。我成日都講笑我啲Followers上升嘅速度，就好似一隻樹懶咁（但其實我係講真㗎）。不知不覺間我都會由唔Care嗰幾個數字變到每日都Check，甚至同其他人比較，因為我哋都會以為呢啲就係「成功」嘅指標。

曾經覺得做咗一段時間幕前都冇乜人Follow，而喺度諗到底係咪我唔夠呢？冇Character？我個節目做得好差？大家唔識欣賞？唔啱大眾口味？我仲諗咗好多方法去增加我嘅Followers，例如會唔會出吓啲性感相，定我喺坑渠食麵？最後都打消晒呢啲念頭，一來用呢啲方法係冇意思，因為用呢啲方法吸返嚟嘅Followers，都未必係你想要嘅觀眾群。二來係同事話我Po性感相，啲Followers係會少咗，叫我唔好做傻事。

「你個人都冇Character！你個Character唔夠出啊！」我都喺好多人口中聽過呢句評語。第一次聽到嗰陣，我心諗你哋嗡乜9啊，成日都Character，乜L嘢係Character啊？我十足十個細路喺度發爛渣。但其實「你個人都冇Character！」呢句嘢除咗做幕前聽得多，好多時做Creative嘅人都可能俾人質疑過。

畫畫，你冇Style！失敗！
唱歌，你冇風格！失敗！
拍片，你冇性格！失敗！

俾人話完呢句嘢之後，我真係一頭霧水，唔知自己錯乜，跟住就好似癲婆咁不停去搵自己嘅「風格」，望吓啲自己欣賞嘅人，自己

欣賞嘅畫，諗住「抄考吓」，跟住你又發現自己唔想做人哋嘅Copy。如果你搵唔到，諗唔通嘅話，你就只會無限輪迴。

我曾經都係嗰個不停搵風格、搵Character嘅人，直至我忍唔住問一個我好欣賞嘅人——小克。佢話我知風格其實唔使搵，亦都唔係話搵就搵到。因為風格係嚟自你嘅成長環境，每個人識嘅嘢都唔同，每個人都係獨一無二嘅。當然你可以去模仿同抄考，但你會發現，你會好唔自在㗎。而最特別嘅係，睇你嘢嘅人係會感受到嗰一份唔自然。就好似你個性格咁都係獨一無二，你硬係扮其他性格都會好奇怪啦。所以如果人哋話你冇Character嘅時候，你可以當佢On9㗎！

但如果真係想知點解俾人話，我諗就係因為你嘅風格、Character，未突出到俾人辨認到，又或者唔係世界普遍覺得吸引嘅Style。但唔好自責，你冇問題，我都冇問題，勇敢接受自己嘅Style啦！每個人都有自己獨有嘅風格，唔須要特登去搵㗎。就好似唔見咗嘢咁，你愈搵佢佢愈唔出嚟，反而你唔搵佢，佢就會失驚無神彈返出嚟。

20
我在100毛
很成功

的而且確我做嘅節目唔算受歡迎，View數唔多，好多人都覺得我做得未夠好，又冇乜人識我，甚至收到一啲批評，但係呢啲批評始終係有用嘅，例如拍《細路做嘢唔使你教》嘅時候就有收過一啲評語話我同小朋友嘅交流做得唔好，冇乜節目效果，令到節目唔夠有趣等等，觀眾嘅Comment我全部都會放喺心度。

Judge人好容易，每個人都識，但有建設性嘅Comment真係唔係咁易畀㗎，所以我好珍惜嗰一班人。我亦學識一啲Comment係可以唔理，例如：「不如算啦，不如摺咗個節目啦……」、「你都唔得！」，因為呢啲Comment係冇意義嘅，而且令人想法更負面。有啲人就係唔俾人鬧唔安樂，你愈鬧佢，佢反而愈會成長，喺逆境入面更加堅毅。但我唔係，我係嗰一種好容易跌入自責自卑同自我懷疑嘅漩渦嘅人。好多時我哋會覺得自己做得唔夠好，當我哋放大

自己嘅缺點嘅時候，就會忽略咗自己做得好嘅地方。就好似喺張白紙上面畫一粒黑點，我哋就會Focus咗喺粒黑點到，睇唔到張紙白色嘅部分仍然佔大多數。如果要我一直俾失敗嘅氛圍困住，我反而會更加做唔好。後尾我學識點樣調整我嘅心態去面對呢啲批評，知道自己並唔係真係做得咁差。開始識得喺接受批評嘅同時，都去學識欣賞自己。

我會記住同同事努力到凌晨，趕起條片嘅自己。記住為咗想條片畫面好睇啲，豐富啲，努力畫畫嘅自己。記住嗰班家長同小朋友，佢哋因為節目而認得自己，叫我做OFF姐姐嘅嗰一刻。記住付出過努力嘅自己，即使《細路》唔受歡迎，但佢喺我心目中都係一個成功嘅節目。

好似綜合咁多件事嚟睇，我喺 100毛嘅成績好似都麻麻地，無論係第一次做 100毛定係再返去 100毛：冇成為一個出色嘅幕前、冇做到一個好爆嘅節目、冇好多Followers。

身邊好多人都同我講過，當初你唔應該走，如果我冇走，我嘅幕前之路會順利好多，我可能會好受歡迎。我離開 100毛嗰時候，正值100毛最受歡迎嘅時期，所以我嗰個時候走，好多人都戥我唔抵。但如果畀我再揀多次，我都會揀離開 100毛。如果我冇去過嗰一間廣告公司，我都唔會有呢種想法，都唔會成就呢一刻嘅我。因為有呢一次經歷，我發現我要嘅嘢從來都唔係變得大紫大紅，我只係希望自己可以衝破自己嘅局限，發光發亮。同樣，喺 100毛面對嘅事亦成就咗今日嘅我，所以我失敗得很成功。

我在100毛很成功

網絡安全隱患.

網絡安全隱患

而家呢個年代個個人都機不離手，一得閒就碌下IG，放工就睇YouTube，放假就去打卡Post上網。生活完全離唔開社交媒體，大家都走唔甩。我做Social Media嘅工作，用嘅時間就更多，有一次Check吓自己用電話用幾耐，真係嚇鬼死，成八個鐘，瞓覺分分鐘都冇八個鐘啊。

之後我睇到網上有人介紹Netflix嘅一套記錄片《The Social Dilemma》，呢套片請嚟一班社交平台嘅策劃者、設計者，例如Google、Facebook同IG等等嘅員工，去講出到底我哋點樣俾社交媒體操控人生，墮入佢哋設計嘅陷阱。跟住片入面仲講，原來我哋好多行為都係佢哋精心策劃下嘅動作，好恐怖喝。每一個Notification都係有佢嘅目的，佢哋要用盡一切方法去令我哋長時間留喺嗰個社交平台。所以真係這陷阱，這陷阱，你同我都會遇上。

睇完呢套紀錄片之後，我覺得用社交媒體最大嘅後遺症係佢會影響到用家嘅注意力放喺邊，仲影響埋小朋友嘅自我價值同自我認同。

我記得有一次，我去探我朋友嘅姪女，佢先得三歲。但佢已經沉醉喺Filter嘅世界，尖下巴，放大眼睛，再加埋個App化出嚟嘅大濃妝。「她只是個孩子」，三歲嘅妹妹同六十歲嘅女人用嘅美肌程度一樣，好恐怖。

而家好多人真係啲相唔P唔Post，用Filter用到本身個樣都唔記得。因為驚冇Like，所有著嘅衫做嘅嘢嘅出發點，都係希望得到社會認同。將心心，豎起嘅手指，當成一個肯定，追尋呢個價值。但呢啲咁嘅心心，一啲都唔真心，其實係好虛，用一秒畀你，同時一秒都拎得返走。我記得宮崎駿《貓之報恩》裡面有句說話：「生命可以隨心所欲，但不能隨波逐流。」人本來已經容易迷失，社交媒體同我哋嘅生活仲要密不可分，冇Like唔代表失敗，唔好中佢哋呢啲數字陰謀，唔好畀社交媒體嘅出現令我哋變成一個個倒模冇靈魂嘅人啊。

為咗要解決呢個問題，嘗試限制自己唔好放太長時間喺電話度，熄晒啲Notification，多啲同人面對面咁傾偈。我仲決定之後每星期要有一日唔用電話，感受多啲真實嘅世界。

Chapter 4
失敗的
月光族人

細個以為考試零分係世界末日，
大個咗發現戶口零蚊先係世界末日。

月光寶盒

點解要講呢個Topic？因為呢個問題困擾咗我太耐，亦都係令我覺得自己失敗嘅其中一個原因。到底月光族呢個名係邊個改嘅？實在改得太好聽喇，令到我都唔小心做咗月光族族人廿年。

咁講小小背景先啦，我入族年資二十幾年㗎喇。由小學嘅十蚊零用錢到大個出嚟做嘢，我都係月月清，儲唔到錢。真係講出嚟都有啲慚愧，好赤裸啊大佬。我唯一儲到嘅錢，就係我十八歲前逗嘅利是錢。因為係我阿爸阿媽話幫我儲起嘅利是錢，所以呢筆錢嚴格嚟講都唔係我儲。

雖然我係月光族，但我都係個有骨氣嘅月光族。我中七嘅時候就開始返Part-time，嗰陣嘅最低工資先得廿八蚊一個鐘。之後我就冇再問過阿爸阿媽攞錢，點知靠自己去搵錢，就養成咗搵幾多使幾多嘅習慣。

幾時開始覺得月光族係一個問題？我本來都唔覺有咩問題㗎，搵幾多使幾多好正常。細個冇乜意識覺得儲唔到錢係一個問題，但人大咗，想做嘅嘢愈嚟愈多，先發現原來冇錢真係好頭痕。當你為錢煩惱嘅時候，你就會怪責自己點解唔儲錢。

曾經有一段時間，我唔單止係冇錢，仲要爭人錢，先使未來錢。嗰陣冇錢找卡數，還 Min Pay 利息又好貴，唯有問朋友借咗一大筆錢嚟找咗卡數先。嗰陣令我好崩潰，我喺度諗：點解我做咗咁多年人，戶口連少少錢都冇㗎呢？

我先發覺原來做月光族真係唔掂㗎，想做嘅嘢全部都做唔到。例如我想畫畫，想租一個工作室畀自己做創作同放我嘅作品，總之就係想有一個空間畀我做嘢，又或者我想租個鋪位賣我設計嘅嘢，但都要有一筆資金先可以搞到呢啲小生意。因為冇錢所以我咩都做唔到，孭住成身卡數仲邊有錢？

然後又埋怨自己：唉點解我咁廢嘅？點解返咗咁多年工少少積蓄都冇？於是唯有用多啲時間返工賺錢，變咗冇時間做自己鍾意做同想做嘅嘢。唯一嘅娛樂就係買自己鍾意嘅嘢，最後又停留喺搵錢同使錢嘅惡性循環入面。

嗰陣我先醒覺：唔可以再繼續咁樣落去，我要改變，我要脫離月光族。作為一個月光族嘅芝心批，我都有小小心得可以同大家分享。我哋一齊打開呢個月光寶盒啦！

【購物慾太強】

我成日都係衝動式消費，見到鍾意嘅嘢就會即刻買，因為我驚今日唔買遲啲就會買唔返。買嘢之前唔會諗嗰樣嘢有冇用、自己係咪真係需要、屋企有冇位，最後愈買愈多，令到屋企有好多唔等使嘅嘢。我仲係一個享樂主義嘅人，比起考慮買嗰樣嘢有咩用，買嗰個瞬間帶畀我嘅開心更加重要。

【遲到的人】

你可能會問：成日遲到？同月光族有咩關係？成日遲到嘅人就要用錢買時間，成日都搭的士同 Call Uber。但係遲得多就使得多，所以一係唔好遲，一係 Set 個 Budget 畀自己搭的士。

【Payme? Pay you.】

科技使人貪窮，冇實體錢揸喺手真係會令人唔經唔覺使大咗。以前喺銀包拎張 500 蚊紙出嚟個心都會有小小「戚住戚住」。但用信用卡、八達通、轉數快或者 Payme 嘅話，無論幾多錢都好，佢哋都只係一串數字，你只係見到一堆數字過嚟過去。

為咗令到畀錢冇咁方便，我試過 Cut 咗信用卡同 Delete Payme，淨係留返少少錢喺戶口用嚟過數。要將畀錢嘅方法整到有咁難得咁難先得！ Del 晒啲 Apps 佢！同埋每個月 Set 個 Budget 畀自己，唔好用多過個 Budget。

【嗌多咗外賣】

而家好興嘅Foodpanda、Deliveroo、Uber Eats等等。堂食嘅時候通常都係嗌到夠食就算，但用外賣Apps嘅時候，就會唔小心愈嗌愈多。唔知點解覺得嗌一個好凄涼，見到啲小食又會想嗌埋，最後仲要加多杯嘢飲。喺外賣Apps落單只係撳兩個掣，撳撳下就冇乜概念。最後愈嗌愈多，愈嗌愈貴。

【拖延症】

因為有拖延症，我成日都會遲還卡數，遲交稅單等等。唔係冇錢交，只係想拖到最後一日先交。但去到最後一日又會唔記得，或者記錯日子。結果成日都因為遲交而要交罰款。

我記得有一次我喺公共圖書館借咗本書，一路都唔記得還，拖吓拖吓，拖到要罰幾百蚊。嗰陣我諗住還咗本書就得，而冇交到個罰款。最後要圖書館寄信嚟通知我如果再唔交罰款就會採取法律行動⋯⋯拖延症嘅人最憎處理文件，所以成日因為俾人罰錢而多咗好多不必要嘅使費。

我之所以成為月光族係因為我嘅性格同我嘅處事手法有做得唔好嘅地方，如果你都係因為成日唔諗清楚，想買就買，成日遲到而搞到要用錢買時間，呢啲原因而變月光族嘅話，唔緊要！做人最緊要知錯能改！

不過我都想為月光族講幾句公道說話。世界標榜節儉係一種美德，所以揮霍就變成大家口中嘅陋習。但月光族只係一班人選擇用唔同嘅方式生活。我哋成日聽到話要儲錢、要買樓、要為未來打算。有人未雨綢繆，想過安穩嘅生活；但月光族嘅人就追求活在當下，希望及時行樂。從來都冇絕對嘅啱同錯，只係每個人都有唔同嘅選擇。

不過月光族都有分兩種嘅，一種係好似我咁，因為唔好嘅習慣而成為咗族人。而另一種係為咗夢想，所以先成為月光族。呢兩種係唔同㗎！

為咗夢想而成為月光族嘅人，我係非常欣賞。佢哋用自己嘅積蓄去成就自己嘅夢想，例如搞音樂、影相拍片拍電影等等。雖然佢哋係月光族，但佢哋可以過到自己想過嘅生活。佢哋擁有嘅積蓄唔再係錢，而係佢哋精彩嘅人生經歷。

有啲人會用一生去儲錢買樓供樓，想有一日可以上到車，喺香港地有個安樂窩；有啲人使錢及時行樂，或者為咗夢想同鍾意嘅事而使錢。而家嘅香港社會「今日唔知聽日事」，每日都有唔同嘅事發生，冇人可以擔保你一定每一日都會平安無事。正正係因為咁所以更加要把握當下，過你想過嘅人生。

月光族，三文治族，窮忙族都好，唔同嘅金錢觀都唔應該被標籤為失敗。我哋係有權利做我哋嘅選擇，唔須要貼合社會思想嘅流向，唔應該俾既有嘅框框局限我哋，鍾意做咩咪做咩囉！

不過如果欠債累累嘅話就要解決喇，唔好俾月光族拖累你。我曾經係月光族，因為自己嘅壞習慣而成為族人。所以喺度奉勸各位，唔好淪為「慾望」嘅奴隸。月月清唔係問題，因為咩而冇錢先係。

正所謂錢解決到嘅問題就唔係問題，冇錢會為你帶嚟更多問題同煩惱。人生已經夠多問題㗎喇，唔好畀「錢」成為你最大嘅問題。

Chapter 5

人生慘敗組
WINNER

幸福不需要全世界來肯定，
成功都不需要全世界來盛讚。

《撒嬌女人唔好命》

怎麼可以吃兔兔

23

撒嬌女人唔好命

喺界大家食花生之前，分享我啲失敗愛情經歷之前，我想講吓我點解會失敗先。

我嘅愛情路一直都唔係好順利，我都有研究過呢個問題。點解我每次拍拖都唔成功㗎呢？每次得出嘅結論都係：「問題喺我身上。」我成日都覺得段感情有咩唔好，都係建基於我有啲位做得唔好。

就算拍緊拖，我都會好驚自己有啲地方做得唔好，或者做錯嘢，好驚對方會因為咁而唔鍾意我。雖然佢揀同我一齊嘅時候應該都知我係一個點嘅人，但我都係會好驚佢突然會唔鍾意我。所以每次一拍拖，我嘅世界就好似得返我個另一半咁。我會想盡辦法去遷就對方，我怕可能因為好小嘅爭執，小小嘅不滿，佢就會離開我。

年少輕狂嘅時候，我都有試過同一個識咗唔係好耐嘅男仔拍拖。呢個男仔係我大學個Hall嘅同學嚟嘅。嗰陣我哋好快就撻著咗，但對大家又唔係真係好了解。所以嗰陣我會好好奇以前佢鍾意嘅人係點樣，同我似唔似嘅呢？之後聽到人講佢以前嘅對象同我嘅Style好似唔係好一樣，我又開始擔心。

有一次我哋一齊搭地鐵嘅時候，我唔知發咩癲，心血來潮想嗲吓男朋友。我搵住佢，用一把都幾嗲嘅聲同佢講：「哎啊，真係好劫啊。」我本來諗住嗲佢幾下，搞吓新意思。點知佢一聽完，勁認真咁同我講：「喂，你不如唔好嗲啊！」嗰一瞬間，我俾佢呢句嚇到仆街。

我勁驚因為咁激嬲咗佢，因為咁搞到佢唔鍾意我。無啦啦俾鍾意嘅人咁樣話我，除咗覺得好尷尬之外，我真係好驚。我係咪做錯咩啊？但我之前都好似有試過啊，點解佢突然咁大反應。我又唔係嗲到講BB豬豬BB豬嗰啲咁嗲啊。咩事喎。不過我都好快應返佢：「哦……好啦。」對住另一半，我係有種照單全收嘅習慣。

可能有啲女仔聽到會鬧返佢轉頭：「嗲下都唔得啊？」我就絕對唔係呢種Style嘅女朋友，由細到大拍拖，我都好少鬧我男朋友。喺愛情入面我係傾向做一個小鳥依人嘅角色，雖然你哋可能睇我個樣唔似啦。平時我行為又粗粗魯魯，又唔係嗰啲斯文嘅女仔，我好多嘢講又成日大大聲咁，我估因為咁令到我畀人嘅感覺唔會係「小鳥依人」啩。

其實我對住男朋友係用一個迷妹嘅心態，我會好欣賞佢，好鍾意佢，所以都會想嗲吓佢。之後佢同我講：「你喺我心目中係好型㗎。」我個頭即刻有黑人問號彈出嚟，吓？好型？？從來都冇人讚過我型㗎喎，再加上我同個「型」字真係大纜都扯唔埋。但當時嘅男朋友竟然話我喺佢心目中係好型，我就開始擔心佢有冇鍾意錯人。

但因為呢件事令我知道自己感情失敗嘅其中一個原因係，我會為咗迎合另一半而改變自己，希望對方唔好離開我。嗰次之後我每次同佢一齊都會扮型，但明明我內心係想做個可以撒吓嬌嘅女朋友。喺一段關係為咗討好人哋而改變自己，其實並唔健康。因為唔啱就係唔啱，即使我點努力去改變都未必可以符合到佢所有要求，所以我哋冇幾耐都分咗手。

經過呢一次失敗，我知道喺一段關係入面唔應該咁容易就改變自己而去迎合人哋。我希望將來嘅我可以搵到一個人，呢個人可以知道我係一個點嘅人，同時佢會鍾意最原本，最真實嘅我。

又話「撒嬌的女人最好命」，點解我撒嬌我男朋友又會叫我收聲嘅？

重色輕Sir

頭先都講過我一拍拖，我嘅世界就會好似得返我另一半咁。我會花好多時間落呢段感情，係連父母都好少理，用晒啲時間嚟陪對方，甚至連朋友想見我一面都難。所以我成日都俾朋友鬧我重色輕友，雖然我真係。

唔知大家仲記唔記得我喺〈「失敗者集中營」〉遇到嗰三位阿Sir，其中一個阿Sir佢一路都陪我成長，我有咩煩惱搵佢商量佢都會好認真解答。例如我拍拖、我分手、我想追人，我唔想俾人追。事無大小我都會搵佢傾，而佢都會花好多時間幫我分析同解決呢啲問題。但一個對我咁好嘅阿Sir，我曾經都因為愛情而離棄佢。

咁話說當時我拍緊拖，我繼續有異性冇人性，所以我已經少咗同個阿Sir聯絡。有一日佢無啦啦Send咗個Message畀我，佢好興奮咁

同我講:「我見到陳法拉啊!終於畀我見到我女神喇!佢真人好靚女啊!」冇錯,我呢個阿Sir係陳法拉嘅超級狂熱粉絲,佢成日都講佢好鍾意陳法拉。

咁我梗係記得佢好鍾意佢啦,但我就用一個好冷漠嘅語氣覆佢:「吓⋯⋯哦⋯⋯係啊⋯⋯但係點解你要同我講嘅?」之後我阿Sir就咁覆咗我一句:「冇嘢喇。」嗰陣我仲覺得冇乜嘢,都當佢真係冇嘢,就咁冇咗件事。到我又分咗手,我又同返個阿Sir傾偈,咁啱講到呢件事。

佢話當年佢第一時間同我分享見到女神咁開心嘅事,但結果我就咁冷淡咁覆佢,令佢好唔開心,又諗返起佢以前同我講過:「就算呢刻同我好Friend,但人同感情都係會隨年月而變。」佢同我講雖然預咗會有呢一日,但當日睇到個Message都係有啲傷心。

聽完之後,我又回想返嗰段為另一半瘋狂嘅日子。因為另一半而拋低晒屋企人同朋友,諗返起都覺得自己好衰女,同埋其實我都唔鍾意咁樣。為咗愛情而同其他朋友疏遠係唔好嘅,唔應該因為咁而搞到自己嘅世界除咗愛情就裝唔落其他嘢。

我希望我嘅愛情、友情同親情係可以同時喺我嘅生命入面,我擁有愛情嘅同時都想擁有自己嘅興趣。

只係因為我太怕失去,所以先成日黐住另一半。直到後來我先發覺自己呢種心態係錯嘅,拖唔是咁拍嘅。我唔應該為咗情人去放棄對我好重要嘅人,例如我呢個阿Sir,一個對我咁好,教識我咁多嘢嘅人。

佢喺我生命入面係重要到如果我將來結婚，我老公都要多謝佢嘅嗰種重要。但我就因為拍拖而放棄過佢，諗返都覺得自己真係冇人性。

25

迷信

記得以前嘅我，喺阿爸潛移默化底下，都變成嗰啲「命運是對手，永不低頭～」嘅人。所以我對於呢啲占星命理都好抗拒，覺得命運係真係靠自己嘅。頂多都係新年聽吓玲玲師傅講吓生肖運程囉。

但去到有一段日子，我覺得好多事都好唔順利，屋企人失業啦，我原本諗住同人合資開鋪，結果俾一個朋友呃咗一筆錢，再加上失戀，身體又不停病。覺得自己頭頭碰著黑，連我啲朋友都話係我黑仔。

你知唔知一個人幾時最迷信呢？就係當你諸事不順，現實世界好多事都唔多掂嘅時候，你就會想借用其他力量嚟幫吓自己喇。嗰陣我就上網睇下啲星座運程，佢話天秤座嘅人要小心財困，我心諗中啊！跟住再上網玩線上塔羅牌。嗰一刻嘅占卜結果即使未必100%符合我嘅處境，但睇到嗰啲文字，好似都得到一啲鼓勵。

之後再加上身邊有幾個朋友都係鑽研唔同嘅占星命理,有八字,星盤,紫微斗數,人類圖等等⋯⋯嗰陣成日同利君牙同Dickson圍埋一齊,聽佢哋學術討論。結果自己都開始有啲興趣,有人話占星命理,其實係一個統計學,亦有人話係科學,更加有人會話係無稽之談。

後尾,我發現睇唔同嘅占星命理,人類圖呢啲,都算係一個了解自己嘅過程。例如有人幫我占卜嗰陣話我唔啱做一樣嘢嘅時候,就會令到我開始諗清楚到底我對嗰樣嘢係咪真係有熱誠,會唔會咩難關都唔怕。好多時候去到人生入面一啲重要決定,我哋都可能會去求神問卜,咁樣亦都係一個契機畀我哋去反思人生。

所以對我嚟講占卜準唔準都唔係最重要,點樣去解讀同運用占卜嘅結果先係我哋應該著重嘅位。當占卜講中你一啲缺點嘅時候,你會有一種覺醒,當一個人有覺醒,先會搵到自己問題所在,先會開始有改變。但如果占卜講得唔準或者唔啱聽,其實你就會自動過濾咗佢。到頭來去選擇聽啲咩同信啲咩嘅都係我哋自己,所以與其盲目相信,不如好好利用占卜嘅分析,將佢變成輔助自己嘅工具。

26

堅持係須要
練習的

本身我一直都以為堅持係與生俱來，咁人哋聽周星馳講㗎嘛，佢話只要揸緊個信念，咁我咪以為揸緊個信念就得，但原來係唔得嘅。原來好多時候，唔係一揸就有㗎，堅持係須要練習㗎。

我會形容堅持呢樣嘢，就好似打機儲氣出超必咁，要日積月累。每一個失敗，儲啲，再儲啲。

因為平時冇儲開氣，所以我成日都會特別欣賞啲運動員，覺得佢哋點解可以堅持到每日做一式一樣嘅練習，咁吃力咁辛苦都做到。

堅持係會遺忘㗎，差啲都唔記得自己都做過運動員。當年做體操，我每日都要用時間拉筋，每日練習，無論外在定內心都一樣得到訓練，因為你知道要付出，要堅持，先會有收穫。

人愈大就會忘記，太想自己係天才，一學就識，一練就得，又或者習慣放棄。如果你都係忘記堅持嘅嗰一班人嘅話，唔好再羨慕其他人喇，唔好覺得自己唔識，一齊練習返啦。

最容易嘅就係喺生活上練習，堅持做運動，堅持飲八杯水，將堅持變成一個習慣，堅持堅持。

堅持係須要練習的

27

寧願覺得佢On9，都唔好覺得自己唔值

我記得著名填詞人黃偉文曾經講過：「我寧願得唔到獎，人哋為我覺得唔抵，好過得到獎，人哋覺得我唔值。」聽到呢句說話嘅時候，本身我都UP晒頭，非常認同嘅，但慢慢大個之後，我今年係姜濤口中再聽一次嘅時候，我好似有一個新嘅感悟。

我覺得不如將嗰重心放返喺自己到，我哋好多時候都好介意人哋嘅諗法，好想追求人哋嘅肯定同認同，特別係做創作啊，好想自己嘅作品會得到人欣賞，好想得到一啲獎項去肯定自己，呢個係人之常情。但，如果我哋倚賴呢樣嘢去生存嘅話，漸漸就會變得迷失，因為世界太多評頭品足嘅人喇，一句覺得你唔值、你唔配、你唔大方、你態度唔好，佢用一秒出個Comment，但你可能要用一年，甚至一世嘅時間先可以消化嗰啲Comment。

世界有好多唔同嘅名詞或者好多唔同嘅心理病名去標籤大家，當中有啲出發點係好嘅，係希望提醒大家唔好對自己太嚴苛，如果唔係就會心理唔平衡。

#月光族
#冒牌者症候群
#人生失敗組
#拖延症患者

大多數標籤都係嚟自於同社會上其他人比賽競爭，導致經常自我懷疑。我哋會迷失，成日去羨慕人哋好。

所以，做每件事嘅價值都應該由自己去肯定，並唔係要鼓吹自我，而係對自己交代，咁樣先可以走落去。呢啲道理好老套，好廢話，但因為我以前就係一個極度需要其他人嘅肯定、覺得所有事冇人去肯定就代表失敗、非常介意人哋睇法嘅人，所以我成日都覺得自己唔適合做幕前，因為我心臟唔夠強大，冇自信。

慢慢發現，真係唔可以咁樣，因為其他人嘅 9Up，而令到自己乜都唔做，咁就最On9，咁就真係唔抵喇。所以應該係：「寧願覺得佢On9，都唔好覺得自己唔值。」

人與人之間就係咁，有啲人係會令你懷疑人生，有啲人係會令你參透人生。

寧願覺得佢 On，都唔好覺得自己唔值

28
最佳時間

多謝大家陪我回望呢廿幾年嘅人生，嚴格去講，我真係冇咩大成就。但我認為，我已經好幸運。短短廿幾年，遇到咁多特別嘅人同事。挫敗嘅時候有大家支持，而家想用呢本書去支持返你哋。

由細到大，都係傻吓傻吓，天真爛漫，毫無壓力咁過咗一個愉快嘅童年。長大咗喺商業社會，發現原來有專長係幾咁著數，曾經都有諗過寧願我父母係怪獸家長，逼自己有一技傍身，都好過而家乜都唔識。但再諗真啲，專長可以大個咗先再學，但係開心嘅童年係追唔返嘅。

去到中學，原本希望自己可以品學兼優，喺一個溫室好好長大，點知我成為公開試嘅失敗者，去咗一間「失敗者集中營」嘅中學，遇到三個令我改變想法嘅老師，令我知道社會同人生都唔係溫室，做人

最重要嘅唔係品學兼優，而係對一啲正確嘅事要有執著同堅持。喺「失敗者集中營」學到嘅嘢，令我從來都冇後悔過考得差。

諗住成就解鎖入到大學就好叻女，點知天外有天，人外有人，大把叻過自己嘅人，自身存在嗰啲拖延症嘅問題，又浮晒出嚟，令到我唔太欣賞自己。

去到做 100 毛嘅時候，要經常面對失敗挫折，經常同人比較，面對好多人嘅期望，接受大眾批評。曾經都有後悔過選擇咗呢條唔係自己專長嘅路，的而且確我唔係一個出色嘅幕前，又冇乜偉大嘅成就，但呢段路令我明白要面對自己嘅弱點，同時欣賞自己。呢一切都令我人生嘅失敗同挫敗變得值得。沿途就算跌，只要跌得好睇就夠了。

好多時候，我哋回望返自己會覺得好多選擇好似做錯咗，有好多事都會後悔，當你遇到失敗挫折，唔如意嘅時候，後悔嘅念頭好容易就會出嚟同你 Say Hello，但真係唔需要㗎。因為每一步，都係成就緊你嘅下一步。

最後咩咩贏在起跑線，全部都唔須要理㗎。因為你根本唔須要參加呢個比賽，人生係自己㗎！成功同失敗都唔需要人哋去幫你定義。記住，只要跑出自己嘅最佳時間同自己交代就可以喇。而我都仲學習緊，我好希望睇吓自己嘅極限可以去到邊，跑出我嘅最佳時間。

謝謝你們

好啦，呢本書嚟到尾聲喇，你哋能夠見到呢本書我諗已經係我最成功嘅一次。

其實今次出書都係我一直以嚟想做嘅事，但係就係怕冇人買，畫得唔靚，寫字唔叻，因為好驚所以我冇主動要求過出書。直到白卷編輯Minami問我：「阿OFF，我哋出書啊！畫畫好唔好啊？」

我話：「吓，得咩我？」

Minami：「得㗎！」

跟住之後我就覺得公司有呢個咁好嘅機會，不如今次就搏盡無悔一次啦！

一向淆底嘅我終於的起心肝接受挑戰，覺得不如就畫我一路以嚟咁淆咁失敗嘅人生啦！

去到書展前兩個月，我仲係一筆都未畫過，我都好希望一步登天，一畫就啱，我好想一出就係一本好好嘅作品，我仲打畀我畫畫老師求救，係咁問佢有冇方法可以畫得更好，而當時我老師咁樣講：「你冇可能一下子去到好出色，作品都需要經歷，唔須要一嚟就Perfect，只要喺能力範圍內做得最好就得喇！」

呢本書有好多人睇死我唔會出得到，同時亦有好多好多朋友支持我，不離不棄咁鼓勵我，多謝幫過我嘅你哋，成就我成為人生勝利組一次，我諗我今次都要欣賞一下咁堅持嘅自己。

特別鳴謝:
Minami / Tanlui / Sonia / Akina / Henry / 小克 / Nicky / 旁白君 /
漫漫 / Teddy / Ellen / 阿lam / Kelly / Puilok / Miki

後記

作者： 羅若OFF

編輯： Minami、Sonia Leung、Tanlui

校對： 東、Akina

美術總監： Rogerger Ng

書籍設計： Kelly Ho 、Puilok

出版： 白卷出版社

黑紙有限公司

新界葵涌大圓街 11-13 號同珍工業大廈 B 座 1 樓 5 室

網址： www.whitepaper.com.hk

電郵： email@whitepaper.com.hk

發行： 泛華發行代理有限公司

電郵： gccd@singtaonewscorp.com

承印： 栢加工作室

版次： 2021 年 7 月 初版

2021 年 10 月 第二版

ISBN： 978-988-74870-3-6